新 潮 文 庫

卵 の 緒

瀬尾まいこ著

新 潮 社 版

8220

目　次

扉イラスト　霜田あゆ美

卵の緒

卵の緒

I

僕は捨て子だ。子どもはみんなそういうことを言いたがるものらしいけど、僕の場合は本当にそうだから深刻なのだ。

まず、「僕は捨て子なの？」と聞いた時のばあちゃんやじいちゃんのリアクションが怪しい。二人ともギョッとした顔をした後で、「何バカなこと。そんなわけないじゃないの」と笑う。冗談はやめてというようなおどけた口調がなんともうそくさいし、敏感な僕がその時の二人の目に哀れみが含まれているのを見逃さずにいられるわけがない。だいたい本当に捨て子じゃないなら、こんなたわいもない子どもの質問にはどーんと構えて、「そうよ。あんたは大和川の橋の下で拾ってきたのよ」などと切り返すのがいいのだ。

そして、驚くことに母さんの僕に対する知識があやふやなのだ。「え？　育生《いくお》ってトマトダメだったっけ？」などと今頃になって言い出したりする。これには僕も参ってしまう。僕に捨て子だと悟られないように、もっと勉強しておくべきだ。僕がおかしいと抗議すると、「あら、どうして？　別に育生のこと知らなくたっていいじゃない。いつも育生がそばにいるんだからその時々に聞けば。育生は子どもなんだから、常に成長するでしょ？　変わっていくんだから、覚えたって損よ」と平然と言ってのける。ばあちゃんやじいちゃんと違って、毎日僕と一緒にいるから、捨て子を扱うことに慣れているのだ。

ついでに言うと、僕の家には父さんがいない。僕の記憶にも、さっぱり残っていない。でも、そのことについて僕は母さんに聞いたことはない。「父さんのことは口にしないほうがいい」今よりずっと小さい時から、僕は悟っていた。

「この間みんなが描いた空の絵を後ろに貼《は》るから、何人か残って手伝ってね」

青田先生がそう言って頼んだのに、結局残って手伝っているのは僕だけだった。

「鈴江君は本当頼りになるわ」

青田先生は押しピンを僕に手渡しながらそう言ったけど、小学四年生ごときになめられている先生が頼りなさすぎるのだ。僕だって、早く帰って磯田《いそだ》君の家でゲームをやりたかった。でも、先生一人で二十枚ちょっとの絵を貼るのは大変だろうって思ったし、「女には優しくするのが男の基本」というのが母さんの教えだから仕方ない。

「さ、あと二枚。これは水野さんのね。かわいい絵。由記《ゆき》ちゃんらしいわ」

先生に渡された絵を僕も見てみた。空は薄い水色で雲もふわふわで確かに丁寧に描かれていたけど、太陽のすぐそばを黄色い鳥が飛んでいるというのが笑えた。

「ねえ、先生」

「何？」

呼ぶと、必ず微笑《ほほえ》んで「何？」とか「どうしたの？」って聞いてくれる。そういうところが青田先生のすてきなところだと思う。

「今日さ、へその緒の話してたじゃない」

「そうね」

「あれってうちの家にもあるかな」

僕はそう言ってから、最後の一枚を貼り終えると足台にしていた机から飛び降りた。

「もちろんよ」

先生はきっぱりと言って、にっこり笑った。青田先生の笑顔は完璧《かんぺき》だと僕はいつも思う。薄いピンク色の唇が両端とも同じだけキュッと上がって、僕に春を思わせる。

「へその緒はね、お母さんと子どもを繋《つな》いでいるものなの。だから、お父さんがいなくても、鈴江君の家にもちゃんとあるわよ」

「ふうん」

先生に優しげな目で見られて照れくさくなった僕は、適当な返事をして余った押しピンを先生の手のひらに返した。青田先生はわざわざ僕の目を見て、とても丁寧にありがとうと言った。

ついに長年にわたった僕の捨て子疑惑を明らかにする時がやってきた。へその緒一つで今までのもやもやがすっきりするのだ。やっぱり先生っていうのはすごい物知りだ。

僕は母さんが仕事から帰ってくるのをどきどきして待ちわびた。あまりにどきどきしすぎて炊飯器のスイッチを入れ忘れそうになったくらいだ。小学校一年生の時から、ご飯を炊《た》くのは僕の役目になっている。

六時少し前に母さんの足音が聞こえた。僕の家はマンションの五階にあって、エレベーターを使わないのは母さんだけだから母さんの帰りはすぐにわかる。

「ねえ、へその緒見せて」

母さんがドアを開けたのと同時に、玄関に飛んでいった僕がそう言うと、母さんはしかめっ面《つら》をした。

「なんなのそれ。まずは、母さんお帰り。今日もお仕事ご苦労様。でしょう」

「母さんお帰り。ねえ、へその緒っていうの出して」

「へその緒？」

母さんはしかめっ面のままきょとんとした。

「ほら、母さんのおなかと子どもを繋げているやつ」

「ほう。日本にはそんな便利な代物《しろもの》があるのか」

母さんは、大人のくせにへその緒の存在をまるで知らなかったかのようにとぼけた声を出した。

「どこの家にもあるんじゃないの？　見せてよ」

「またおかしな知識を身につけてきたのね。まったく学校ってのはろくなこと教えないねえ」

母さんは他人事《ひとごと》のように言いながら、洗面所に向かっていってしまった。

「あるの無いの？」

ガラガラと音を立ててうがいをする母さんに向かって僕は声を張り上げた。

「あるんじゃないの。どこの家にもあるんだったら」

母さんは口をタオルで乱暴に拭《ふ》いた。

「その前に夕飯夕飯。母さんが何ゆえに働くか。それは食べるため。人生の楽しみの半分は食にあるんだから、愛する育生のためとてそれは譲れないわ」

僕は一刻も早くへその緒を見たかったけど、母さんに従うことにした。

母さんはふわふわのオムレツとほうれん草とベーコンのサラダを作って食卓に並べた。僕はばあちゃん家《ち》でもらってきた蛸《たこ》と大根の煮物をレンジで温めて、ご飯を茶碗《ちゃわん》に盛った。夕飯の準備をする僕と母さんの息はぴったりだと思う。

「ほう、蛸が柔らかくておいしいわ」

母さんはそう言うと、向かいの席から僕の椅子《いす》を蹴《け》っ飛ばした。

「育生、そわそわすんの止《や》めてよ。食事の時は目の前のご飯のことと、一緒にテーブルにいる人のこと以外考えちゃダメなのよ。学校で習わなかった? まったく青田先生は、肝心なことが抜けているのよねえ」

「違うよ。青田先生は悪くないって」

僕は慌《あわ》てて否定した。僕の落ち着きのないことまで青田先生のせいにされちゃかわいそうだ。

「わかったわかった。じゃあ、ジャンピングクイズね。青田先生のためにも、育生君がんばってください」

母さんはいつでもどこでも突然クイズを始める。そして、そのクイズはなぜかいつでもジャンピングクイズなのだ。

「さて、今、育生君も食べているその蛸ですが、柔らかく煮るためには育生君も大好きなあるものを入れます。さあ、何でしょう」

「そんなのわかんないよ」

見当もつかなかったから、僕は投げやりに言った。

「真剣に考えてください。第一のヒントを差し上げましょう。それは飲み物です」

母さんは済ました口調で言った。

「飲み物……?」

僕は蛸を口に入れてゆっくり噛《か》んでみた。醤油《しょうゆ》と砂糖とだしの味しかわからなかったけど、僕はとりあえず答えを出した。

「オレンジジュース?」

「違います」

母さんは首を振ると、チッチッチと時間をカウントし始めた。

「じゃあ、牛乳」

「まっさかあ」

「だったら、フルーツ牛乳だ」

「牛乳じゃないって言ってるのに」

母さんはけらけら笑った。

「これ以上育生の味音痴ぶりを聞くのは母親としましてもつらいので、答えを発表いたします。じゃーん。なんと、この煮物に入っている飲み物とは、あの、サイダーでした」

「あのシャワシャワの？」

蛸のどこにもサイダーの味がしなかったから僕は驚いた。

「そう、あのシャワシャワにはものを柔らかくする力があるのだよ。だから、サイダーばっか飲んでると、育生の歯もこの蛸みたいになっちゃうぞ」

「うわあ」

そりゃ、大変だ。この蛸みたいな歯になっちゃったら、じいちゃんみたいに入れ歯にしなくちゃいけなくなる。僕は密《ひそ》かに、サイダーを飲むのは止めようと誓った。

「ふふふ。クイズに必死になって、これで育生もへその緒のことを忘れたかなあ」

母さんのでかい独り言を聞いて僕ははっとした。まんまと騙《だま》されるところだった。

「だめだよ。ちゃんと覚えているんだから。ご飯終わったらすぐに見せてよね」

僕がへその緒を見ることと交換条件の食器洗いをやっている間、母さんは「育生が出てきたのって十年近く前でしょう？　どっかやっちゃってるかもしれないわ」とぶつぶつ言いながら、へその緒を探し始めた。

「これでいいのかしら」

奥の部屋でごそごそしていた母さんが小さな箱を持ってやってきた。薄く模様の入った和紙で出来た箱。どこかで見たことがある。そう、この間食べた紅白饅頭《まんじゅう》の入っていた箱だ。

「この中に入っているの？」

僕は母さんから饅頭の箱を受け取った。

「まあ、一応へその緒ってことになるわね」

「開けていい？」

「どうぞ」

僕はそっと箱の蓋《ふた》をつかむと、ゆっくりゆっくり開けた。

「え？　これ？」

中には白くて小さな欠片《かけら》がいくつか入っていた。青田先生が見せてくれたへその緒とはまるで違うものだ。それはもっと黒かったしこんなに薄っぺらじゃなかった。

「これって……」

その欠片を手に取った僕は、それが何なのかすぐわかった。

「へその緒じゃないじゃない。これって卵の殻でしょう?」

「そうよ」

すっかりへその緒が入っているものと思い込んでいた僕は、あまりの中身の違いにパニックになってしまった。

「どういうこと?　なんで卵の殻が入っているの?」

「母さん、育生は卵で産んだの。だから、へその緒じゃなくて、卵の殻を置いているの」

母さんはけろりとした顔でそう言った。

「そんなわけないじゃない。人間は卵では生まれないんだよ」

そうだ。哺乳類《ほにゆうるい》はお母さんのおなかから生まれてくるのだ。僕はまだ九歳だけど、それくらいのことはちゃんと知っている。

「育生。世は二十一世紀よ。人間が月へ飛んでいくのよ。ロボットが工場で働くのよ。コンピューターでなんでもできるこの世の中。卵で子どもを産むくらいなんでもないわよ」

母さんがまじめな顔で言うから、うそなのか本当なのかまだ九歳の僕はわからなくなった。

「でも……、でも、へその緒が親子の証《あか》しだって。先生が言ってた」

「教師の言うことを鵜呑《うの》みにしていては、賢くなれないぞ。へその緒なんてちょっと大きいスーパーに行けば、百円前後で売ってるわよ。あんなゴムチューブが証しだなんてそれこそびっくりだわ。よく見てよ。へその緒よりずっといかしてるでしょ？」

母さんは僕の手ごと箱を摑《つか》むと少し傾けて、僕にもう一度中身を見せた。確かに学校で見たゴムのようなへその緒より、箱の中に入った卵の殻のほうがきれいだけれども。

「じゃあ、卵の殻が僕の家の親子の証しなの？」

僕が言うと、母さんは笑った。

「まさか」

「じゃあ、証しはどこ？」

「本当バカね。証しって物質じゃないから目に見えないのよ」

僕はへその緒も無いうえに母さんにバカだと笑われてショックで泣きそうになった。

「結局僕が捨て子だからでしょ？」

僕がヒステリックに言うと母さんはやれやれという顔をした。

「仕方ないわねえ。今日は特別育生に本当の親子の証しを見せてやるとするか。すごく体力が消耗するからあんまりやりたくないんだけどなあ」

母さんはそう言いながら僕の前にしゃがみこんだ。そして、腕まくりをして、僕を思いっきり抱きしめた。母さんが力任せに僕を抱きしめたから、僕は一瞬息ができなくなってしまった。

「ね。今見えたでしょう。証し」

母さんは僕を解放すると、嬉《うれ》しそうに訊《き》いた。

「見えないよ。痛かっただけだ」

僕は本当のことを答えた。

「見えないって？　修行がまだまだ足りないねえ。こういうことが見えなくてはだめよ、育生。育生ももう少し大きくなったら、ちゃんと見えるようになるわ。証しとかがさ」

母さんは無責任にそう言い放つと、声を潜めて話し出した。

「それより、最近少し気になってるんだけど、育生の髪の毛、薄くなってない？　昨日、あんたが入った後お風呂《ふろ》に髪の毛がいっぱい抜けてたわ。へその緒とか証しとか、そういう理屈っぽいことばっかり言ってると、禿《は》げるわよ。このままいけば、そのうち商店街の金物屋のおっちゃんみたいになるわね」

僕はぎょっとした。母さんの言うとおりだ。今日髪の毛を梳《と》かしたときも、何本か毛が抜けた。金物屋のおっちゃんみたいにつるっ禿げになったら、かつらを買わなくてはいけない。入れ歯の上にかつらなんて、学校に行けないや。僕はとても不安になってきた。

「まだ大丈夫よ。なんでも早期発見が大事だから。今のうちならなんとかなるわ」

母さんはそう言ってけらけら笑うと、僕の目を覗《のぞ》き込んだ。

「母さんは、誰よりも育生が好き。それはそれはすごい勢いで、あなたを愛してるの。今までもこれからもずっと変わらずによ。ねえ。他に何がいる？　それで十分でしょ？」

僕は頷《うなず》いた。捨て子疑惑はまるで晴れなかったけど、これ以上考えて毛が抜けたら困るから。この母さんなら卵で僕を産むこともありえるだろう。それに、とにかく母さんは僕をかなり好きなのだ。それでいいことにした。禿げないためにもそう思い込むことにした。

2

五年生の夏休み明けから、池内君が学校に来なくなった。一学期の終わり頃から、池内君は月曜日には必ず学校を休むようになっていて、二学期はまだ一度も来ていない。

池内君は学級代表で、勉強も運動もよくできて、みんなに好かれていた。終わりの会の時でも、先生が怒鳴るよりも、池内君が前に出て穏やかに「一度しか言わないからよく聞いてください」などと言えば、みんな静かに言うことを聞いた。みんな池内君には一目置いていたのだ。池内君が学校を嫌になるようなことなど何一つ無いはずだったし、どうして学校に来ないのか誰にもさっぱりわからなかった。

僕はそんなに仲が良いわけじゃないけど、池内君が休むと困ってしまう。二学期から僕と池内君は同じ三班になったのだが、この班の男子は池内君と僕だけなのだ。それなのに、池内君がいないから、掃除も社会の調べ学習も道徳の話し合いもいつも女子としなくちゃならない。給食の時だって話し相手は女の子しかいないのだ。

僕は他の男子ほど女嫌いじゃないけど、うちの班の女子ときたらろくなのがいない。岡本は「ちょっと、ちゃんとやってよね」が口癖で、なぜかいつもぎゃあぎゃあ怒っていて、そのくせ突然泣き出したりする。中上は休み時間はいつも髪の毛を梳かしていて、何のためなのか一日に何回も髪型を変える。そして、しょっちゅう机の上で指を忙《せわ》しく動かしてピアノを弾く真似《まね》をしている。これで、ちっともかわいくないんだから参ってしまう。水野はまあいいんだけど。一年から同じクラスだったし、家も近所だから。

「それは今流行《はや》りの登校拒否ってやつじゃないの？」

母さんが言った。

「登校拒否？」

僕は首を傾《かし》げた。

「だって、ほとんど学校を休んでるんでしょう。学校に行くのを嫌がってるんだから、登校拒否」

母さんは口の中を舌で探っては上手にスイカの種を一つ二つと皿の上に飛ばした。スイカを丸ごと買ってきたから、もう四日連続で夕飯の後にスイカを食べている。母さんは僕と二人暮らしなのに、なんでも丸ごと買う。

「もう学校来ないのかなあ。池内君……」

僕は皿の上に落下するスイカの種と同じくらい絶望的な気持ちになった。

「青田先生みたいな美人な先生がお迎えに行けばいいかもしれないけど、今の育生の担任って、あの鬼瓦《おにがわら》みたいなじじいでしょう。たぶん無理だね」

早く班替えしてくれないかなあ。僕はため息をついてから、口の中に溜《た》めたスイカの種を一気に吹き出した。

「さて、そんな発展性のない話は置いといて」

母さんはそう言って、にやりと笑った。どうやらまた始まるようだ。

四月から母さんはほとんど毎日同じ話をしている。母さんの働いている総務部って所にやってきた、朝ちゃんという名前の課長だか部長だか忘れたけど、とにかくその人がびっくりするくらいかっこいいらしいのだ。夕飯の度に、「朝ちゃんにお茶をいれてやった」だの、「朝ちゃんが笑いかけてきた」だの、どうでもいいことばかり聞かされて、僕はちょっとうんざりしている。

「今日ねえ、朝ちゃんに話しかけられちゃってさあ、『鈴江さんって、君子っていうんだってね。僕の姉と同じ名前だよ』って。すごくない？　それって、私の下の名前も知っているってことでしょ」

全然すごくなかったけど、僕は適当に頷きながら、頭の中では池内君のことを考えていた。毎日何してるのかなあ。勉強しなくて大丈夫なのかなあ。クラスの中心的存在だったから、仲良くなくても池内君のことはいくらでも思い出せる。

池内君の声は低いけど、透き通っていてよく響いた。周りをしんとさせる力を持っていた。「くだらない。やめとけよ」授業中消しゴムを飛ばして遊ぶ男子に注意したかと思えば、チャイムが鳴ると誰よりも早く運動場に走っていく。何をしても、池内君なら厭味《いやみ》じゃなかった。いつも背筋がぴんと伸びていて、女子でも先生でも誰に対してもハキハキと話した。池内君の言うことはきっと正しい。みんながそう信じていた。

「でもさあ、お姉ちゃんと同じ名前だとは、運命だね。そう、思わない？」

母さんの話はまだ続いていた。

「よ。久しぶり」

チャイムを鳴らして名前を告げると、池内君が出てきた。何ヶ月ぶりかに見る池内君はとても元気で、僕は驚いた。目の前の池内君は一学期に僕が見ていた池内君となに一つ変わっていなかった。

「鈴江が家に来るなんてちょっとびっくり」

そりゃそうだろう。僕だって学校でろくに口もきいたことのない池内君の家を訪ねるなんて思ってもみなかったし、チャイムを鳴らすまで正直ちょっとびびっていた。

「でも、嬉しい」

池内君はそう言って笑った。僕は「何の用事?」と邪険に訊かれなかったことに、とにかくほっとした。

今朝、玄関で突然母さんが、「今日、池内君の家に行ってくれば?」と言い出した。自分のことを棚に上げて、「育生、池内君、池内君ってうるさいんだもん。一度、顔見ておいでよ」って。

僕はうるさく言った覚えはなかったけど、母さんに「早く見舞いに行かないと、そのうち池内君、痩《や》せて骸骨《がいこつ》みたいになるかも」と脅されたし、やっぱり池内君に会いたかった。

「ちょうど昨日、川口と宮下が来たんだよ。たまにプリントとか持ってきてくれるんだ」

そう言いながら、池内君は僕を二階の自分の部屋に通してくれた。すっきり片付いた、広い部屋だ。

「元気なんだね」

僕がそう言うと、池内君が申し訳なさそうに肩をすくめた。

「今の班、男って鈴江一人なんだってね。まったく先生もさ、俺が休みがちなんだから、もうちょっと考えて班作りすりゃいいのに。かわいそうだと思いつつもさ、休んじゃうんだよなあ。でもいっか。水野がいるもんな」

「な、なんで水野が出てくるんだよ。いらないよあんなの」

僕が慌《あわ》てて否定していると、部屋をノックする音が聞こえて、池内君のお母さんが入ってきた。髪の毛を一つにくくって、淡い紫色のブラウスを着た清潔そうなお母さんだった。

「こんにちは。えっと……」

おばさんはさっきインターホン越しに聞いた僕の名前を思い出そうと、少し眉《まゆ》をよせた。

「鈴江です。お邪魔しています」

僕は立ち上がって、ぺこりとお辞儀をした。

「ふふ。礼儀正しいのね。ゆっくりしていってね」

おばさんはそう言って静かに微笑《ほほえ》むと、クッキーと紅茶を置いていってくれた。

「池内君ってお坊っちゃんなんだね」

僕はおばさんが下へ降りていく足音が聞こえてから小声で言った。

「そう？」

「だって、普通、家族の部屋に入る時ノックなんてしないでしょ？　しかも、おばさんブラウス着てた。うちの母さんなんて、家にいる時は短パンとTシャツだし、おやつはいつもスイカだし……」

「俺はお邪魔していますなんて言っちゃう鈴江のほうが、すごいって思ったけどね」

池内君はそう言うと、お盆の上からカップとクッキーのお皿を取って、僕の前に置いてくれた。僕は学校のことを話しながら、時々すぐに割れてしまいそうなか弱いカップに入った紅茶をどきどきしながら口に運んだ。

僕たちはもともと友達ではなかったから、ひととおり学校の様子などを話すとそんなに会話は弾まなくなってしまった。でも、全然苦痛じゃなかった。サッカーをしなくてもテレビゲームをしなくても、池内君とはぽつんぽつんとしゃべっているだけで、なんだか楽しかった。

「中学生の姉ちゃんがいるんだけど、これも去年から学校行ってないのね。でも、全然大丈夫なんだよ。小学校も中学校も義務教育だからさ、ちゃんと行かなくても全然

ＯＫなの」

僕はその事実にちょっとびっくりした。

「でも、勉強わかんなくなるんじゃないの」

「教科書よく読めば授業と一緒だって。あのうるさい教室で、先生のわかりにくい説明聞くより、頭に入るよ」

最近、算数がちっともわからないのは、僕がバカだからじゃなくて、うるさい教室と先生のせいだったのか。僕は少しほっとすると同時に、まじめに学校に行ってるのが損な気分になった。

「だから、学校休んでるの？」

僕がそう言うと、池内君は、「さあ」と首を傾げた。僕にも先生にもわからないように、池内君自身にも学校を休む理由がわからないのだろうか。どうして元気なのに、何も嫌なことがないのに、学校に来れないのだろう。僕は不思議で仕方なかった。

一階から夕飯の音と匂《にお》いがして、池内君の部屋に西日がたくさん入ってきた。玄関まで池内君とおばさんが見送ってくれた。

「早く学校においでよ」

僕が言うと池内君はにやりと笑って、

「鈴江もまたおいでよ。うちにさ」と言った。

「育生、自分が好きな人が誰かを見分けるとても簡単な方法を教えてあげよっか」

ハンバーグをフォークで突き刺しながら母さんが言った。僕は別段興味はなかったけど、一応こくりと頷いた。僕がどう答えようと結局母さんは話し出すのだから。

「すごーくおいしいものを食べた時に、人間は二つのことが頭に浮かぶようにできているの。一つは、ああ、なんておいしいの。生きててよかった。もう一つは、ああ、なんておいしいの。あの人にも食べさせたい。で、ここで食べさせたいと思うあの人こそ、今自分が一番好きな人なのよ」

母さんはにっこり笑って、ハンバーグを口にほうりこんだ。

「さて、今日のこのハンバーグ。かなりの出来でしょ。表面はかりっとしていて中はジューシー。口の中でお肉のおいしさが広がって、とろけそう。ついでに付け合せのにんじんも甘いし、コーンスープも絶品。それでは、育生君。あなたがこのハンバーグを食べさせたいのはだーれだ?」

「うーん」

確かにハンバーグはとてもおいしかった。でも、誰も食べさせたい人は思いつかなかった。

「ほれほれ、誰に食べさせたい？　青田先生？　水野の由記ちゃん？」

「うーん」

僕はもう一口ハンバーグを口に入れてよく味わった。やっぱり誰も頭に浮かばなかった。青田先生のことも水野のことも嫌いじゃないし、たぶん好きなんだけど、別にこのハンバーグを食べさせたいとは思わなかった。

「そんなの、わかんないや」

僕がそう答えると、母さんはつまらなそうな顔をした。

「あー。残念。心を込めて作ったこのハンバーグも、育生のハートを捉《とら》えるほどのおいしさにはなってなかったってことね」

「そんなことないよ。すごくおいしいよ」

「サンキュー育生。そうね、きっとハンバーグの味が足りないんじゃなくて、育生にはまだこのハンバーグを食べさせたいほど好きな人がいないってことね」

母さんはがっくりさせていた顔をまた元に戻して、輝かせた。何か食べている時、母さんの顔は一段と明るくなる。

「ちなみに母さんは、すごく食べさせたい人がいるんだけど」

僕はすぐにそれが誰かがわかった。

「朝ちゃんでしょ」

「え？　なんでわかったの？」

母さんは本当に驚いていたけど、あれだけ毎日同じ名前を聞かされていれば誰だってわかる。

「もちろん、育生がだんとつ一位なんだけど、よく考えたら、育生には、おいしいものだけじゃなくて、失敗作も手抜きの料理も食べさせなくちゃいけないでしょ？」

「ふうん」

僕はそれって不公平だと思いながら、スープをごくごくと飲んだ。

「ふふふ。呼んでもいい？」

「え？」

「朝ちゃんを家に呼んで、ハンバーグをご馳走《ちそう》してもいい？」

「今？」

僕の知らないうちに、母さんは家に呼ぶくらい朝ちゃんと仲良しになっていた。

「そう今から。だめ？」

「別にいいけど」

僕はしぶしぶながらも了承した。時計は七時半を回っていたし、面倒だと思ったけど、母さんがこんな風に「だめ?」って言う時は断れなかった。それに、母さんが「恐ろしくかっこいい」と言う、朝ちゃんの顔を一度見てみたかった。

母さんが電話をかけてから三十分後、朝ちゃんはやってきた。「マンションの場所がわかりづらかった」そんなことを話しながら入ってきて、僕に気づくと、「こんばんは」と微《かす》かに笑った。

「えっと、彼が朝ちゃん。で、育生」

母さんは手っ取り早く、僕たちを紹介した。僕は緊張しながらも、

「育生です」

と挨拶《あいさつ》したのに、母さんに、

「今、名前は言ったわよ」

と言われてしまった。

朝ちゃんは、

「朝井秀祐《しゅうすけ》です。夜遅くに突然お邪魔してごめんなさい」

そう言って、ぺこりと頭を下げた。

僕はスーツを着た大人の人を目の前で見るのは初めてだったし、そんな人に頭を下

げられて、びびってしまって、

「何をおっしゃいますやら」と、おばさんみたいなことを言って、母さんを爆笑させた。

目の前に現れた朝ちゃんは、恐ろしくかっこいいのかどうかはわからないけど、背が高くて痩せていて顔も体もすっきりした人だった。色白ってわけではないけど、肌がすごくきれいだった。透けるような肌と、余計なものが何一つついていないような顔は、寂しそうで、この人はもうすぐ泣くんじゃないかと、大人の男の人なのに僕を心配させた。とにかく笑った時とそうじゃない時の顔の違いが激しくて、笑うと初めて「朝ちゃん」という呼び名どおりの愛らしい顔になった。そのせいか、僕は初対面だし、朝ちゃんのことが好きなわけじゃないのに、朝ちゃんが笑うと嬉《うれ》しくなった。

朝ちゃんはネクタイを弛《ゆる》めると、ごく自然に食卓について、ちゃんと「いただきます」を言ってから、母さんが温めなおしたハンバーグやスープを食べ始めた。とても食べるのが上手で僕はちょっと感心してしまった。お土産は持ってきていないみたいだけど、悪い人ではなさそうだ。僕は朝ちゃんの向かいに座って、朝ちゃんの食事を眺めた。前にこんな場面を見たことがある、と錯覚してしまうくらい朝ちゃんは僕の家の食卓になじんでいた。

母さんは僕と自分にもお茶をいれると、僕の隣に座った。

「育生、いくら男前だからって、そんなに見ないでよ」

ハンバーグを口に運ぶ朝ちゃんをじっと見ていたら、母さんに注意された。同じ動作の繰り返しなのに、朝ちゃんの食べる姿はいくら見ても飽きなかった。

「フランス人みたいだね」

僕がそう言うと、母さんと朝ちゃんが同時に、

「何が？」

と言った。見たことがないけど、フランス人の食べ方はこんな風なのだ。僕は説明してみたけど、朝ちゃんも母さんもいまいち理解できないようだった。

「育生君って鈴江さんの話に聞いていたとおりで、驚いたよ。本当に俺が想像したまんまの男の子だから」

朝ちゃんが言った。

「そうなの？」

僕が母さんのほうを見ると、母さんが自慢げに言った。

「もちろん。私の表現能力は類《たぐい》まれなものがあるのよ。特に育生に関してはね」

僕は、小学校五年生で、二組で、三班で配り係で、算数がからっきしわからないこ

と。そんな自分に関するいくつかのことを朝ちゃんに教えた。朝ちゃんも三十歳で、母さんより三歳も年上で、会社のすぐそばの小さなアパートに住んでいて、からっきし泳げない。そんな基本的なことを教えてくれた。

母さんは朝ちゃんとあのデータは打ちなおさなくてはいけないだとか、何かの費用をもっと増やしてほしいだとか、大人の話を少しした。

朝ちゃんは僕と話している時も、母さんと話している時も、まったく同じ調子だったし、母さんもあんなに朝ちゃんのことを好きだと言っていたのに、僕と二人でいる時と何も変わらなかった。

朝ちゃんは本当にハンバーグを食べにきただけで、食事が終わるとすぐ帰る用意を始めてしまった。夜のせいで、さよならがすごく寂しいものに思えてしまう。僕は今初めて会ったばかりの朝ちゃんが帰るだけなのに、四年の終わりに、仲良しだった磯田君が転校していった時と同じ嫌な気持ちがした。

「それじゃあ、また」

玄関で朝ちゃんが言うと、

「また明日」

母さんが言った。僕はとりあえず、もう九時だったから「おやすみ」にした。

朝ちゃんは僕と母さんの顔を同じだけ見て、微笑むと軽く頭を下げて、ドアを開けた。僕がもう一度バイバイって言おうとした時には、マンションの重い扉がガチャンと閉まっていた。朝ちゃんのさよならのあっけなさは、僕が今まで見た大人のお別れの第一位だった。

「行っちゃった。あっという間だねえ」

僕が言うと母さんがけらけら笑った。

「どうやらお気に召したようね」

「別に」

「まあ、朝ちゃんを好きにならない人はいないだろうし、育生と私の趣味嗜好《しこう》は似ているから当然なんだけどね」

「シュミシコウ？」

「そう、趣味嗜好」

「それってなあに？」

「それはね、食器洗いをしてくれたら教えてあげる」

母さんにはいつもいつもうまく乗せられている気がする。そう思いながらも僕は趣味嗜好のために油っこいハンバーグのお皿を一生懸命洗った。

その後、何度か母さんはビーフシチューだとか、エビチリだとかおいしい夕飯を作り、時々朝ちゃんが家にやってきた。筑前煮《ちくぜん》だとか、母さんが朝ちゃんを呼ぶのを思いつくのは、いつも夕飯を食べている最中だったから、朝ちゃんが来るのは夜遅くて、一瞬にして帰ってしまうのだった。もっと早くから呼べばいいのにと僕が言うと、「ごちそうさまだけ聞ければいいんだもん」と母さんは言った。母さんが言うのには、全部きれいに食べて、お茶をごくっと一口飲んでから、「おいしかった、ごちそうさま」って言う朝ちゃんのすがすがしさがなんともたまらないらしい。僕も何度か真似《まね》して「ごちそうさま」を言ってみたけど、「クールさが足りないわ」と母さんにあっさりと却下されてしまうのだった。

肉豆腐の夕飯を食べた後、僕は部屋に戻って宿題の続きを片付けていた。いつもは食事の前に宿題を終わらせてしまうんだけど、今日は帰りに池内君のところに寄って、遅くまで遊んでしまったからまだ少し残っている。

この前席替えをして班は替わってしまったけど、僕は時々プリントを持って、池内君の家に寄り道して帰った。学校で会えないせいか、池内君とは他の友達と話すより新鮮でずっと楽しい気がした。それに、池内君の家はいつでも居心地がよかった。池内君の部屋の南向きの窓から入る陽射《ひざ》しも気持ちよかったし、おばさんもいつ行っても喜んで僕を迎えてくれた。

「ねえ、遊ばない？」

朝ちゃんがトランプを繰りながらやってきた。僕の家では、一年に何度かすごい勢いでトランプが流行《はや》る。最近、またそのブームがやってきて、僕と母さんは食後には必ずトランプで遊んだ。ほんの少しゆっくりしていってくれるようになった朝ちゃんも、時々仲間に入る。

「やだよ。宿題しなくちゃいけないもん」

僕が言うと、朝ちゃんは僕のノートを覗《のぞ》き込んだ。

「何それ？　面白いの？」

「漢字練習。書き順を書いて、十五回ずつ練習するの」

「地道な作業だねえ」

朝ちゃんは僕の机の端っこにちょこっと腰を掛けた。僕は横目でちらっと見ただけで、「額」の続きを練習した。朝ちゃんといると、ペースが崩れてしまう。

「よし、半分俺が書いてあげるよ」

朝ちゃんがそう申し出た。

「いいよ。字が違うと先生にばれちゃうもん」

「大丈夫。育生の字とそっくりに書くから。俺そういうのすごい得意なんだから」

「本当にいいよ。せっかくだけど、ちゃんとやらなきゃ自分のためにもならないし」

僕は朝ちゃんが気を悪くしないように、丁寧に断った。朝ちゃんは本当にいいの？と僕に何度も念を押した後で、ようやく諦《あきら》めた。

「きっと、君子さんは育生のそういうところに惚《ほ》れたんだね」

朝ちゃんは母さんのことを、名前で呼ぶ。

「惚れた？」

「そ。育生のことがすごく好きだってこと」

朝ちゃんはそう言いながら、またトランプを繰り出した。

「ねえ、やっぱり、朝ちゃんは母さんが好きなの？」

「ふふふ。ついに聞かれてしまったか」

僕の質問に朝ちゃんは笑ってから、

「肉豆腐で飛んできちゃうんだから、好きなんだろう」

と言った。

「母さんの料理が？」

僕がそう言うと、朝ちゃんがまた笑った。

「確かに君子さんの料理はかなりおいしいけど、料理以上に君子さんのことが好きなのだ」

「やっぱりそうだったんだ」

僕はやっぱりちょっと、くすぐったくなった。

「ばれてた？」

朝ちゃんがちょっぴり恥ずかしそうに笑うのが少しかわいかったから、僕はサービスして、母さんがずっと朝ちゃんのことをかっこいいと言い続けていたことを教えてあげた。

「おお、やっぱり美男子二人ってのは絵になるねえ」

後片付けを済ませた母さんが、アイスクリームをなめながらやってきた。

「それもそうか。私の好きな二人が並んでいるのだもんね」

母さんはそう言うと、僕にチョコレートの、朝ちゃんにイチゴのアイスキャンデーを手渡した。

時間がスローで進む夜だった。「もう、秋だからだよ」母さんが言った。毎日スイカを食べていた夏は飛んでいってしまい、僕の気がつかないうちに秋も真ん中になっていた。

3

じいちゃんの家は僕の家から歩いて二十分くらいのところにある。途中にある瀧尾《たきお》神社の中を通れば十分くらいで行けるんだけど、夜になると物騒だから、五時を過ぎたら神社は通っちゃいけない。

友達と遊んだ後、時々僕はじいちゃんの家に行く。じいちゃんの家に行けば夕飯のおかずをもらえるし、何よりばあちゃんとじいちゃんが喜んでくれる。「孫ってのは無条件にかわいいのよ」母さんが言ってたけど、本当にそうなのだろう。じいちゃんの家にいると、僕はさんざん甘やかされてしまう。

「今日は、ひじきの煮物と、鯵《あじ》の南蛮漬け」

ばあちゃんがおかずをタッパーウェアに入れてくれた。

「やった。南蛮漬け」

噛《か》むと酸《す》っぱい汁がじゅわっと出てくる南蛮漬けは僕の好物だ。僕はばあちゃん御手製プリンを食べながら喜んだ。ばあちゃんは料理は上手なのにお菓子となるとなぜかさっぱりで、プリンといっても茶碗蒸《ちゃわんむし》が甘くなっただけの代物《しろもの》だ。

「育ちゃんは、体にいいものが好きだからいいわ」

僕のことを育ちゃんと呼ぶのはばあちゃんだけだ。

「よく言われる」

僕はみんなが嫌いだと言うような食べ物でも平気だった。トマトとマヨネーズ以外はなんでも食べられる。甘いのも辛いのも酸っぱいのも大好きだ。にんじんやピーマンなど色の濃い野菜が大嫌いな池内君や、鰯《いわし》や鯵などの原形がリアルにわかる小さめの魚は食べられないという朝ちゃんに比べると、ずっとたくさんの種類の物を食べていることになる。そう思うとなんでも受け取ってくれる僕の体って素晴らしい。

「じいちゃんの部屋に行ってくる」

僕はプリンをさっさと片付けると、「もう一つ食べない?」と言うばあちゃんの勧めを振り切って二階へ上がった。

「おお、坊、来たか」

部屋の扉をそっと開けると、大きい声でじいちゃんが言った。じいちゃんは耳が遠い分声がでかい。

「来たよ」

僕はそう言いながらじいちゃんの部屋を見渡した。じいちゃんの部屋には、猫をかたどった物がたくさんある。置物や絵、仮面やぬいぐるみ、果ては箸置《はしお》きや花瓶まで。とにかく猫を描いた物が所狭しと並んでいる。じいちゃんのコレクションなのだ。僕と母さんが一緒にプレゼントしたキティちゃんのクッションも乱暴に置かれていた。

「何か増えた？」

僕が聞くと、じいちゃんは嬉《うれ》しそうに棚から一つの箱を取り出した。

「お客さんからもらったんだが、これは珍しいものだよ」

箱の中にはおはじきがいっぱい入っていて、その一つ一つに猫の顔が描かれていた。

「わあ、すごい」

僕はおはじきをいくつか手にとって見てみた。手描きなのだろう、全部描かれている猫の顔が違う。

「気に入ったか」

じいちゃんの声に僕は大きく頷《うなず》いた。

「坊はいくつになったんだっけ？」

「十一歳」

「よし。だったら、十一個持ってお行き」

じいちゃんは植木屋をしている。腕のいい職人だから、遠くまで仕事に行くことも多い。そしてその度に猫のものを買ってくるから、じいちゃんのコレクションは日に日に増えていく。そもそもじいちゃんが猫コレクションを始めたのは、十年ほど前のある出来事が発端となっている。僕は物心ついた時から何度もその話を聞かされている。じいちゃんが話すと小一時間かかる話だけど、簡単にするとこうだ。

その日、じいちゃんはいつものようにお客さんの庭の木を切っていた。その家で仕事をするのはもう五度目だったから、どうも気が緩んだ。じいちゃんはバランスを崩してはしごの上から落っこちた。じいちゃんが言うのには、ミスをしたのは、植木屋になって三十年、それが最初で最後だ。驚いたことに、かなりの高さから落ちたのに、じいちゃんは無傷だった。擦り傷一つ無かった。ひっくり返ったまま横を見ると、猫がじいちゃんの顔をじっと見つめていた。

「その猫が助けてくれなかったら、じいちゃんは即死だったよ」

猫がどうやって落ちてくる人間を助けるのかは疑問だったし、はしごから落ちたくらいで死ぬなんて大げさだけど、じいちゃんはその猫に助けられたと強く信じている。それ以来、猫を神様のようにあがめ、猫と名のつくものをせっせと集めているのだ。

「案外その猫がはしごを揺らしていたりしてね」

母さんはそう言ってじいちゃんを笑っているけど、猫柄のパジャマや猫のぬいぐるみをプレゼントして、じいちゃんのコレクションに協力していた。

「坊、まだかい?」

僕はまだ八つしか選べてなかった。おはじきの中に描かれた猫の顔はどれも同じようで微妙に違うから、悩んでしまう。

「早く、そして、いいやつを選べよ。男は決断が上手《うま》くないとだめだ」

じいちゃんはすぐに、男はこうだ、男ならこうしろ、と言う。父さんがいないから、僕が女々しくなりはしないかと心配しているのだ。

「決まった。これにする」

僕は迷った挙句の十一個のおはじきを手のひらに載せて、じいちゃんに見せた。

「おお、さすが坊、やるじゃないか」

じいちゃんは僕が選んだおはじきを見るとにやりと笑った。じいちゃんに誉《ほ》められて、僕はほこほこした気分でそのおはじきを握りしめた。

「育ちゃん、雨が降りそうだから、今日は早めに帰ったほうがいいわ」

ばあちゃんが一階から僕を呼んだ。

七時前の空は、雨を含んでいるせいか夜に近づいているせいか、暗い灰色になっている。だけど、秋の夕方の美しさにはなんの変わりもなかった。雨降りだろうと何だろうと秋の夕方は文句なしに美しい。ばあちゃんは傘を持っていくようにって言ったけど、僕は断った。秋の夕方のかぼそい雨に降られて帰り道を歩きたかった。空を見上げると、遠慮がちにそっと顔に雨粒が落ちてきた。

母さんはどんなに降水確率が高くても、家を出る時に大雨が降っていない限り、傘を持たない。「どうなるかわからない先のことのために、あんな重いもの持って歩けないし、雨ってわざわざ傘で防がないといけないものじゃないでしょう」というのが母さんの持論だ。だから、母さんはしょっちゅうずぶ濡《ぬ》れになって帰ってきた。僕は風邪を引いたら困るし、朝の天気予報で降水確率が50%を超えたら必ず傘を持っていく。でも、これくらいの雨はちょうどいい。濡れるほうがきっといい。

夕暮れでも海でも山でも、とことんきれいな自然と一人じゃないって確信できるものがある時は、ひとりぼっちで歩くといいのよ。母さんの言うとおりだ。ポケットの中で猫のおはじきをそっと握りしめて、僕は雨を連れて家に向かった。

秋も深まって、何を食べてもおいしくて、母さんの作るものはいつも完璧《かんぺき》だったのに、あの肉豆腐の夜以来、朝ちゃんはぴたりと来なくなってしまった。

「ねえ、今度いつ朝ちゃん呼ぶの？」

ついに待ちきれなくなった僕は、母さんに聞いた。

「うーん。どうかなあ」

母さんは缶のままビールを飲みながら、どかっとソファに腰を落とした。

「朝ちゃんが来ないとつまらないよ」

そう言う僕の顔を見て、母さんは少しだけ笑った。

「実はね、母さんさ、朝ちゃんとキスをして、ついでにそれ以上のこともしてしまったの」

「何それ？」

母さんは僕の反応を無視して続けた。

「となるとだな。おいしい料理ができたわ。ちょっと来て。なあんていう、軽快な気持ちにあんまりならないんだな。もっと、本腰を入れないといけないっていうか、もう恋愛関係になっちゃったから、そう、面倒なの。これがいろいろ」

母さんはそこまで言うと、ビールを一気に飲んだ。

「ふうん」

僕はいまいちわからなかった。とにかく大人は何事も簡単にいかないらしい。

「朝ちゃんは母さんのこと好きなんだよ」

「わかってるわ」

母さんはそう言って、ぼんやり天井を見上げた。

母さんが自分のことを自分のペースで話すのを見ていると、やっぱり、本当の母さんじゃないんだなと思う。それに気づくのが悲しいとか嫌だとかじゃなくて、ただそう思う。

「もう寝たら？」

もう少し朝ちゃんのことを聞こうとした僕を追い払うように、母さんが言った。

「早く寝ないと明日もまたにんじん食べさせるわよ」

「うぇ」

少し前から僕の家ではにんじんフェアをやっていた。母さんが産地直売で買ったにんじんを食べて、その甘さみずみずしさにいたく感動したからだ。煮物や炒《いた》め物はもちろん、にんじんスープ、にんじんサラダ、にんじんライス。なんでもかんでもにんじんだった。僕はにんじん嫌いではなかったが、こう毎日にんじんが続くとさすがにうんざりしていた。だから、素直に母さんに従って眠りについたのに、次の日、僕は朝からにんじんを食べることになる。

にんじんフェア六日目の朝、僕は出来上がりを知らせるオーブンの「チーン」っていう音で目が覚めた。夢うつつのまま、砂糖とバターが焦《こ》げた甘い匂《にお》いに誘われて台所へ行くと、母さんがばたばた動いていた。

「あら、おはよ育生。早いのね」

母さんに言われて時計を見てみると、まだ六時前だった。いつもより一時間も早い。

「なんか目が覚めちゃって」

「ふふふ。さすがね育生。にんじんブレッドの出来上がりとともに起きてくるとは。にんじん伯爵《はくしゃく》の座はあなたに譲るわ」

母さんはオーブンから何やら出してきた。

「にんじん?」

僕はまだ半分眠っている頭を振った。

「そう。にんじんブレッドを作ったの。おいしいぞー。どうする?　もう一眠りする?　もう朝ご飯にしちゃう?　そりゃ、もちろん食べるわよね。二度寝すると起きられなくなるもの」

母さんは一人で勝手に決めてしまうと、四角く焼いたバターケーキのようなものを切り分けて、牛乳をコップに注いでくれた。僕はもう一度ベッドに戻ることを諦《あきら》めて食卓についた。

「さ、食べて。早起きは三文の徳とは言ったものだけど、出来立てのにんじんブレッドを食べられるなんて、二、三万の得にはなっているわ」

母さんは自分にはコーヒーをいれて、僕の向かいに座った。

「いただきます」

僕は寝起きの体ににんじんブレッドを突っ込んだ。にんじんブレッドが口の中で広がっていくのと同時に目も覚めてきた。

「おいしい……」

にんじんブレッドは甘くて濃厚で、なのに優しい味で、とろけそうにおいしかった。

「全然にんじんって感じがしないねえ」

僕が言うと、母さんがふふふと笑った。

「これでも、にんじん三本入っているのよ」

「すごい」

二切れ目のにんじんブレッドをフォークで口に運びながら、僕はもう一度、おいしいと思った。そして、にんじんブレッドのおいしさは僕に食べさせたい人を思いつかせてくれた。

「ねえ、母さん」

母さんは向かいの席で、牛乳のたっぷり入ったコーヒーを飲みながら僕のほうに顔を向けた。

「僕、これ、池内君に食べさせたい」

「え？」

「母さん前に、すごくおいしいもの食べたら、食べさせたい人の顔が浮かぶはずだって言ってたでしょ？　その人が好きな人だって。今、池内君の顔が浮かんだ。池内君にこのにんじんブレッド食べさせたい」

池内君は「どうがんばっても、にんじんだけは食べられない」そう言っていた。これなら食べられるかもしれない。これを食べればにんじんを好きになるに違いない。

僕の提案に母さんは真剣な顔を作って、

「前々から育生は何かおかしいと思ってたのよねえ。どこか普通じゃないなって。やっとわかったわ。そう、育生は男の子が好きなのね。でも、母さんは止めないわ。人を愛する気持ちは自由だもの」

と言うと、けらけら笑った。

「まじめに言ってるのに」

僕がふくれると、母さんは少しだけ笑うのを止《や》めて、

「わかったわかった。七時になったら、電話しましょう」

と言った。

「え？」

「それぐらいの時間なら、起きてるでしょう。っていうか、登校拒否をしていたって、小学生は七時には起きなきゃだめよ」

「電話って池内君に？」

「そうよ。電話して育生の切ない気持ちを伝えなきゃ」

「うそでしょ？」

母さんならやりかねない。男の子から好きだなんて言われたら、池内君でも気持ち悪がるに決まってる。僕が慌《あわ》てると、母さんはまた吹き出した。

「ふふふ。食べさせたいって気持ちよ。池内君を家に呼んでにんじんブレッドをごちそうしましょう」

母さんはうそつきだけど、言ったことは本当にやる。迷惑じゃないかなあという僕

の心配をよそに、母さんは七時きっかりに池内君の家に電話をした。学校がどうだの、勉強がどうだの、もっともらしい口調でさんざんしゃべった挙句、おばさんの許可をもらったらしい。僕にマンションの前まで池内君を迎えに行くことを命じて、サラダと目玉焼きの支度を始めた。

僕は顔を水で簡単に洗って、歯を磨いた。パジャマからトレーナーとジーンズに着替えると、いつもと一緒なのに、「あらら、おめかししちゃって」と母さんに笑われた。

部屋を飛び出して、階段を降りていく。まだ七時になったばかりのマンションはいつもよりしんとしていて、足音が響く。僕も母さんと一緒でエレベーターを使わない。母さんは「レンジと乾燥機とエレベーターは悲しい発明品なのよ」と言う。レンジは決して食べ物をおいしくしてくれないし、乾燥機は服を気持ちよくしてくれない。エレベーターは足を老化させるかららしい。でも、夕飯時、電子レンジは我が家でフルに活用されている。

マンションの入り口の植え込みに腰掛けていると、すぐに池内君の姿が見えた。僕が池内君の家に行く時には十五分ちょっとかかるのに、母さんが電話してからそんなに時間が経《た》っていない。きっと急いできたんだろう。池内君は青いチェックの長袖《ながそで》のシャツに薄いベージュのパンツをはいていて、いつもよりわずかにきちんとした格好をしていた。

「起きてた?」

僕が言うと、池内君は、

「もちろん」と笑った。

意外にも池内君はいつも六時には起きているらしい。

「それより、どうして僕がここに来たかよくわかってないんだけど。お母さんが、とにかく鈴江君の家に行ってらっしゃいって」

母さんはにんじんブレッドのことは話してなかったらしい。僕は説明するのは止めて、とにかく池内君を家まで連れて戻った。

「ようこそようこそ」

母さんはご機嫌で僕たちを出迎えると、早速池内君を食卓へと連れていった。池内君は「これ、母さんがおばさんにって」と紙袋を差し出した。

「おお、これは高級菓子だわ」

袋を覗《のぞ》いて、母さんが嬉《うれ》しそうな声をあげた。

「朝早いのに、お店開いてたの?」

僕の疑問に「いつ何時でもお土産を用意できる。丁寧なようでどうなのかさっぱり不思議なところが池内家の池内家たるところなのよ」

と母さんがいい加減なことを言った。

「ふふふ。一度会ってみたかったのよ。思ったよりずっといかしてるわ。学校行ってないって話だから、髪の毛とかぼうぼうなのかと思いきや、すごくこぎれいにしてるのね」

母さんは池内君の感想を述べながら、サラダや牛乳たっぷりの紅茶をいれて食卓を整えた。僕は池内君に席を勧めると隣に座った。母さんは池内君の前に座ると「さあ食べて」とにっこり笑った。

「もう朝ご飯食べてきちゃった」

池内君は申し訳なさそうに言ったけど、母さんは、

「朝ご飯は二度食べるくらいの勢いじゃないと、背が伸びないわよ」

とでたらめなことを言って強引に勧めた。

「とにかく食べられる分だけでも食べて。特にそのパンはおいしいから」

僕も遠慮がちに勧めた。

「じゃあ、いただきます」

僕は池内君がにんじんブレッドを口に運ぶのをどきどきして見つめた。気に入ってくれるといいんだけど……。

「すごいおいしい。ケーキみたい」

池内君は感嘆の声をあげた。

「それね、にんじんで作ってるんだよ」

僕が自慢げに教えると、

「うそ。全然にんじんの味しない」

思ったとおり池内君は驚いた。

「ほんとだよ。にんじん三本も入ってるんだって」

「えー。僕全然平気だ」

「ふふふ。池内君、にんじんは実は甘いのよ」

母さんも池内君が食べるのを嬉しそうに眺めながら言った。池内君は何度も驚きながら、おいしそうににんじんブレッドを平らげた。

池内君は母さんとすぐに仲良くなった。母さんはその見た目だけですぐに池内君を気に入ったみたいだし、池内君はもともと物怖《ものお》じしないから、二人はすんなりと意気投合していた。

「登校拒否児にしては食欲満点ね。食欲のある男の子は三割はハンサムに見えるのよ」

にんじんブレッドをおかわりすると言った池内君に母さんが言った。僕はにんじんブレッドを取りにいった母さんに付いていって耳元で「あんまり登校拒否って池内君に言わないで」と言った。母さんはにっこり笑って、

「育生は私が出会った中で一番優しい男の子だわ」

と僕の頭をぐしゃぐしゃに撫《な》でた。

「ところで、池内君、池内君はそのにんじんブレッドを食べさせたい人っている?」

母さんは新しいにんじんブレッドのお皿を池内君の前に置きながら言った。

「別に」

池内君はにんじんブレッドをほおばったまま応《こた》えた。

「育生はね、池内君に食べさせたいって。池内君のこと大好きなのよ」

「そんな、別にそういう意味の好きじゃないよ。ただいい友達って感じで……」

僕は母さんの言葉に赤くなって、必死に弁解した。

池内君は別段驚いた風でもなく、

「どういう意味でもいいよ。どうもありがとう」

って言った。そして、

「どういう意味でも、人を好きになるってすごくいいことだと思う」

と付け加えた。僕は思いがけず池内君にお礼を言われ、なんだか妙な心地がした。

「登校拒否児とは思えない寛大で積極的な考えね」

母さんが僕の忠告を聞くわけないと思ったけど、早速破られて僕は少しむっとした。当の池内君はまるで気にしていないようだけど。

「僕はあんまり人を好きになれないから、逆にすごく貴重に思えるだけ」

池内君はぼそっとそう言ったかと思うと、僕のほうを向いて声を大きくした。

「鈴江、学校は？」

「あ！」

時計は八時を回ろうとしている。まだ何も支度していないのに、遅刻しちゃう。僕が慌てて立ち上がると、母さんが引き止めた。

「今日は休みにしましょう」

「え？」

「学校は休むの。せっかく池内君を呼んだのに、ただにんじんブレッド食べて、はいさよならっていうのも失礼だもん」

「でも、学校には行かないと」

　僕は母さんの提案にびっくりした。僕は三年の時におたふく風邪で一週間休んだだけで今まで遅刻だってしたことない。

「学校なんてこれから毎日嫌っていうほど行けるわよ。池内君が我が家に来るなんてめったにないでしょ？　池内君と一日過ごすほうがずっと意味あるじゃない」

「それはそうだけど、学校は休めないよ」

「さ、先生に電話するけど、頭痛、風邪、吐き気、便秘、何がいい？」

　母さんは僕の意見を無視して受話器を取った。

「そんなのだめだって」

　子どもに学校を休ませるなんて、しかも仮病を使わせるなんてまったく母さんはいつもどうかしてる。

「育生、あんまりつまらないこと言わないで。確かに母さんはそういう育生の生真面目《きまじめ》なところに引かれてはいるけど、たまにはいつもと違うことしてみる余裕が育生には必要なのよ。たまに外れたことをしてみないと、ものの重要度がわかんないの。学校は大切だし、休んじゃいけない。でも、学校を休むことはたかが知れてる。たいしたことないってことも、大切だってことも、そのことを破ってみないとわかんないのよ。ね？」

母さんはおかしなことでも力強く言うから、僕は時々何が正しいのかわからなくなる。

「そんな不服そうな顔しないで。今日は好きな人と好きなものを食べる日にしましょ。ね？　いいでしょ池内君」

「もちろん」

池内君はにこりと頷《うなず》いた。

池内君まで賛成しているのに、僕一人反対できない。僕はしかたなく、腹痛を選んだ。

「ようし。たくさんごちそう作るわよ。っとその前に会社にも電話しなきゃ。母さんは頭痛にしようかな……」

どうやら母さんも会社を休むらしい。好きな人と好きなものを食べるのはそんなに大切なことなのだろうか。

「それから朝ちゃんも呼ばないとね」

母さんはにやりと笑った。

「朝ちゃんを呼ぶの？」

「そう。せっかく好きになった人をほっておくのはもったいないでしょ。ね？　池内君」

その日母さんは信じられないほどたくさんの料理を作った。ずる休みした僕たち四人はだらだらしゃべりながら一日かけてごちそうを平らげた。

次の日僕はやっぱり学校を休んだことを後悔した。算数の授業が進んでいてさらにわからなくなってしまったからだ。そのことを告げると、母さんは「私は育生のそういうとこが好きなのよ」と笑った。

4

六年生の四月、僕の苗字《みょうじ》が変わった。

「鈴江育生より、朝井育生のほうが断然いかしているわよ。面倒なら、朝井の『い』と育生の『い』をくっつけて『あさいくお』にしてもいいんだし、まあ、育生はともかく、母さんは鈴江君子って、一体どっちが名前なのって感じだったから、うん。朝井はいいわ」

「母さんが朝ちゃんとずっと一緒にいたいっていうのがもちろん一番なんだけど、働かなくていいようになるから、育生と一緒にいられる時間までもぐっと増えちゃうのよ。一人と結婚するだけで、世界で最も好きな二人とたっぷり一緒に過ごせる。まさに一石二鳥ね」

つまり、母さんと朝ちゃんが結婚した。僕は、ウェディングドレスを着たり、二人ででかいケーキを切ったりするのが結婚だと思っていたけど、書類さえ出せば夫婦になれるらしい。母さんたちは式を挙げずに籍だけを入れた。

僕は、本当にどうでもよかった。朝ちゃんと母さんが結婚しても、何も変わらないと思ったし、実際そのとおりだった。朝ちゃんが僕の家に来て、一緒に暮らすことになったから、ベッドとタンスが一つずつ増えただけで、僕の生活のペースは少しも変わらなかった。

「今日から六年生ね。おめでと育生」

母さんはそう言って、僕のハムエッグの卵をダブルにしてくれた。でも、僕はあまり食欲がない。苗字が変わって新学期を迎えるのだから、六年はクラス替えはないといっても、不安になって当然だ。それに、朝井だと出席番号一番になってしまう。新学期はいつも出席番号順で座らされるから、一番前の席は確定だ。

「おお、どうした育生。その浮かない顔は」

朝ちゃんが寝癖がいっぱいついた頭を押さえながら起きてきた。朝ちゃんの髪は柔らかいから癖がつきやすい。

「みんなになんて言えばいいのかなあ。『今日から朝井になりました。鈴江です』『母が結婚しまして苗字が変わりました。朝井になります』」

僕が練習していると母さんがけらけら笑った。

「転校生じゃあるまいし、挨拶《あいさつ》なんかしなくていいのよ。第一、そんなこと先生が言ってくれるわよ」

母さんにかかるとどんな重大事でも簡単に済まされてしまう。

「そんなリスクがあるなら、鈴江にすればよかったねえ」

朝ちゃんが言った。朝ちゃんと母さんは結婚するにあたって、どっちの名前にするかあみだくじで決めたのだ。どちらが名前かわからない鈴江君子に不満を持っていた母さんは断然朝井を推していたけど、じいちゃんやばあちゃんや朝ちゃんは僕のことを考えて鈴江のままがいいんじゃないかと言った。その時はまだ五年生で先のことを考えていなかった僕は、違いがいまいちわからなかったから、どっちでもいいと言った。その結果、母さんがあみだで見事朝井を引き当て、朝井育生となってしまったのだ。

「苗字を変えられるチャンスなんてめったにないのよ。たいていのことは育生の心配なんてばからしくなってしまうくらいの勢いで上手《うま》くいくんだからそんな不安な顔しないで」

母さんはそう言って、僕を送り出した。

僕の新しい名前を最初に呼んだのは、意外な人物だった。

「よ。朝井」

教室の前でまだ自分のものになってない聞きなれない名前を呼ばれて、僕は返事をせず静かに振り返った。

「あれ？　池内君」

「おはよ」

新学期のせいか、久々に学校という場で見るせいか、池内君はいつにも増して新鮮な感じがした。

「どうしたの？」

「どうしたのって、学校に来てそう言われても困るけど」

池内君が照れくさそうに笑うのを見て、僕もおかしな質問をしてしまったことに苦笑いをした。

「鈴江、苗字変わっただろう。僕、一番最初に名前呼んでみようって思ってさ。ちょっと記念になるかなって」

「まだ自分でも変な感じなんだけど」

「そのうち慣れるって」

池内君が教室に入るとみんなが歓声をあげた。みんなどんなに休んでも池内君のことを忘れてない。

「おらおら、誰だいつまでもしゃべってるのはー」

みんなに囲まれながら池内君は教壇の前まで行くと、先生の物まねを始めた。特徴をよく摑《つか》んでいるから、みんなは爆笑する。

「今日はだな、新しいお友達を紹介する。って言ってもだな、みんなよく知っている奴《やつ》だ」

僕のことだ。池内君に振られて僕の顔はまっ赤になった。

「え？　それって転校生じゃないってこと？」

「そう。なんとだな、この鈴江、苗字が変わるんだな」

「えー!?」「ほんとに？」春休みに会っていない友達は驚いて口々に騒いだ。「俺知ってる。朝井になるんだぜ」林が自慢げに言った。

「じゃ、苗字も新しくなった朝井からだな、一言」

池内君がそう言うと、みんな一斉に拍手をした。

「えっと、母さんが結婚したから、朝井に変わりました」

みんなは僕の単純な挨拶にも拍手をした。池内君はクラスを一つにする力を持っている。五年の始めほんの三ヶ月間、このクラスにいただけなのに、池内君は誰よりもこのクラスに必要な人だった。

「おお、池内、六年になって学校来る気になったのか」

いつのまにか教室に入ってきた山崎先生に池内君は「わからない」と答えた。

今後も池内君は学校に来ないかもしれない。何か特別なことがない限り、池内君の足は学校には向かないかもしれない。それでもいい。僕は前ほど池内君が学校に来ることを強く望まないようになった。学校以外にも池内君に会える場所はたくさんある。今の池内君にとって学校に行くことが大切なことじゃないんなら仕方がない。

先生はみんなを座らせると、僕の名前が変わったことを紹介した。そして、案の定僕は窓際《まどぎわ》の一番前の席に座らされた。

「いかしてるよ。絶対鈴江より朝井のほうがいいって。そのほうが育生らしい」

池内君が後ろの席から僕の椅子《いす》を蹴《け》っ飛ばしてそう言った。

しばらくして、僕がすっかり朝井育生になった頃、母さんのおなかが少し大きくなり始めた。僕に弟か妹ができるらしい。

「あれ、今度は卵で産まないの?」

ちょっと意地悪かなと思いながら僕が言うと、

「同じことを二度したって仕方ないでしょ。育生は卵だったから、今度はおなかから産むわ」って母さんは言った。

僕は捨て子なのだろうか、今度生まれてくる子どもと僕は兄弟なのだろうか。僕にはややこしいことが増えた。でも、朝ちゃんというまったくの他人と暮らしている僕は、家族というものにとても寛大になっていた。

「すごく面白い話してあげよっか」

どんより暗い雨の日の夕方、母さんが切り出した。今年はいつもより夏の勢いが弱く、まだ十月なのに雨が降ると肌寒かった。

「何?」

「まあどうぞ座って」

母さんは僕に隣に座るように促して、自分はソファの隅に移動した。

「何の話？」

母さんは自分から話をすると申し出たくせに、僕が横に座ると重々しい顔をした。

「早く教えてよ」

「うん」

母さんは顔を上げて天井を見つめた。母さんには珍しく言葉をさがしてるようだ。

「もう、早く」

僕がせかすと母さんは「せっかちな男はもてないわよ」と僕の髪の毛をくしゃくしゃに撫《な》でた。

「この話をするのは最初で最後。たぶん育生以外には話さない」

母さんは深刻な顔をして声を潜めて言ったすぐ後に、にやりと笑った。「って言っても出来そこないの昼ドラみたいな話なんだけどもね」って。僕は母さんの定まらずすぐ変わる表情を見ながら話を待った。

「母さんはその昔女子大生だったの。それはそれはかわいくてね。ま、母さんのかわいさはあんまり本題とは関係ないんだけど。とにかく母さんは大学に入った。そしてすぐ恋に落ちたの。入学して十日も経《た》たないうちによ。すごいでしょ。新記録だったわ。相手は十六歳年上の先生。ちっともハンサムではなかったし、優しくもなければ男らしくもなかった。なのに、母さんは彼に一目で引かれて、少しでも多く彼の顔を見ていたい。彼の時間を共有したいって思ったの」

「すごくいい先生だったんだ」

僕が言うと母さんが首を振った。

「全然。彼の授業は最悪だった。その先生ときたら、まるでやる気がなくて、いつもただ適当に教科書を流し読みしているだけだったの。出席も取らないしテストもしないことを彼が最初の授業で公言していたから、もともと生徒は百人近くいたんだけど、どんどん減っていって、そのうち授業に出席するのは母さんを含めて二、三人になったわ」

「本当は母さんってまじめなんだね」

僕が本気で感心すると母さんは笑った。

「他の授業はしょっちゅうサボってた。私はただ彼から発せられるまるで抑揚のない言葉を聞くことや、九十分の授業の間ほとんど変わらない彼の表情を眺めるのが好きだったの。ふふふ。おかしいでしょ。ところが、ある日先生が前回とまったく同じ授業を始めたの。いくらなんでもふざけてるでしょう。さすがの母さんもいい加減さに参ったわ。で、彼の研究室に抗議に行ったの。どうしてちゃんと授業しないのかって。実際のところはただ先生と近づきたかっただけなんだけど。そしたら先生はなんて言ったと思う？　びっくりよ。先生ったら、僕はもう半年の命なんだって言うの。だから気力が出ない、何もやる気がしないんだって」

「病気だったの？」

僕が聞くと、母さんはきっぱり首を振った。

「いいえ。先生はいたって健康だったわ。病院でも何も異常は認められなかった。でもね、彼は本気で言ってた。半年より先の自分の姿がどうがんばっても思い描けないって。将来の自分がまるでイメージできないって。だからきっと死ぬんだろうって。おかしな話でしょ。全然理屈が通ってない。でも、母さんも彼の言うとおりだと思った。この人は死ぬって。そして、それを知って、どうして自分が先生を好きになったのかもわかったの。母さんはそういう彼の何もかも捨て去ったようなところに引かれてたのよ。まあ、それはともかく彼と過ごせる期限が半年って明らかになってしまったからには、私は彼を愛さずにいられなかった。大急ぎでね。そりゃあ、猛烈アタックよ。自分よりずっと若い女子大生に迫られたら、男なら誰だってＯＫするだろうと思ったんだけど、甘かった。先生はほとんど相手にはしてくれなかったわ」

「ふられちゃったの？」

僕が言うと母さんは、

「まさか。母さんがふられるわけないでしょ」

と笑った。

「じゃあ、恋人になったの？」

母さんはそれには答えなかった。

「ある日ね、研究室で先生の髪を切ってあげていたの。あんまり短いのは、彼のやる気のなさに合わないけど、いくらなんでも伸びすぎていたから。素人《しろうと》に髪を切ってもらうなんて初めてだと言いながらも彼もさほど嫌がる風はなかったわ。植木屋の娘だからはさみを使うのは上手なのよね。だらしなく伸びた先生の髪の毛にはさみを入れると、蒸し暑い六月の研究室なのに柔らかい髪はさらさらと床に落ちて、それがすごくすてきで、先生に『こんなに人を愛したことはない』って告げたの。愛の告白よ。そして、先生にも聞いたの。『先生は？　私以上に愛した人がいた？』って。そしたら先生は『第一、君をそれほど愛しているわけではないんだけど、もちろんいたよ』って答えた。そう、先生は結婚してたのよ。その一年前まで」

「すごいねえ」

僕は何がすごいのかわからなかったけど、そう言った。

「そうすごいのよ。でも、奥さんは子どもを産んだ時に死んじゃったんだって。先生は一人で子どもを育ててたの。だから、君の相手してる暇はないって。子どもを一人残して死ぬわけにはいかないから、自分が死ぬ前に良識のある大人の女と結婚しないといけないって先生は言ってたわ。すごい計画でしょ。相手の女の人にしたら先生が死んだ後、自分と血の繋《つな》がってない子どもを一人で育てなくちゃいけないんだからかわいそうな話だけど、子どものことを考えれば、それがベストでしょ。だから、母さんは先生のことを愛しながらも、他の人との結婚を応援しようって思った。その時母さんはまだ十八だったし、先生が残していく子どもを育てる気はまったくなかったから。先生のことを愛してはいたけど、彼のために自分の人生を変えるほど愛は深くなかったのね」

母さんはそこまで話すと「ここからが面白くなるのよ」と言いながら腰を上げようとした。

「僕がいれてくる」

最近毎日飲んでいるココアをいれに行くのだとわかったから、僕が台所に向かった。鍋《なべ》を火にかけてココアの粉と砂糖をよく練りながら牛乳で伸ばしていく。お湯を入れるだけのココアもあるけど、こうして作ったココアは全然味が違う。僕はこの作業が好きだった。甘いココアの香りは僕をすごく落ち着かせてくれる。僕がココアの入ったカップを両手に戻ってくると母さんが微笑《ほほえ》んだ。

「前に言ったっけ？　育生は私が知っている中で一番優しい男の子だって」

「ただ話の続きを早く聞きたかったんだよ」

「ふふ。うそばっかり。そんな心意気じゃ、こんなおいしいココアいれられないわ」

母さんはそう言ってココアをゆっくり口にした。

「どこまで話したっけ？」

「先生が子どものために大人の女の人と結婚するってところ」

僕はココアが体の奥までゆっくり染《し》みていくのを感じながら話の続きを待った。

「そう、子どもね。先生と結婚できないのは置いといて、先生に子どもがいるって知ったからにはその子どもを見たくなったの。好きな人のこととなるとなんでも知っておきたくなるでしょ。母さんが一生懸命お願いすると、先生はぶつぶつ言いながら子どものお迎えに私が付いていくのを許してくれたわ。基本的にものを断るということができない人だったから。……そしてそこで私は人生最大の出会いをしたの」

「人生最大？」

母さんの言葉はいつも大げさで僕をどきどきさせる。

「そう。後にも先にもあんな出会いをしたことはなかった」

母さんは静かにココアのカップをテーブルに置くとにこりと笑った。

「先生の子どもよ。私の目の前に現れた先生の子どものかわいさっていったら、すごいものがあったの。一歳少しの赤ちゃんって誰が見ても単純にかわいいものだけど、彼の子どもは格別だった。ほっぺはピンク、染められたように赤い唇、黒目の大きな瞳《ひとみ》、とにかくその子どもは私のハートをぐっと捕えて離さなかった。最初、母さんはそんなにかわいく思えるのは好きな人の子どもだからだと思った。赤ちゃんというものを前にしたら誰でも持つ母性本能みたいなものかもしれないとも思った。でもね、そんなのじゃなかったの。彼の家へ向かう車の助手席で、その子を抱いて強く思った。この子が欲しいって。衝動、本能、そういう類《たぐ》いの激しさで。水分や食べ物が必要なように、私はその子を欲しいと思った。彼に引かれた時よりも激しく強く彼の子に引かれた。彼は『それは、死を目前にした俺の隣にいるから、生きることの塊でしかない赤ん坊が輝いて見えるだけだよ』っていかにも教授らしいことを言ってた。確かに『死』を抱えて静かに凪《な》いだ先生と、『生』のための行動しか知らない育生のコントラストは素晴らしかったけど、そういう理屈じゃないのよ。こんなに何かをいとしいと思ったのは初めてだった」

母さんは一息でそこまで話しきると僕のほうを向いた。母さんの話は難しい言葉も時々出てきて僕はすぐに摑《つか》めなかった。でも、その分ゆっくりととても正確に僕に伝わった。

「それが僕なの？」

母さんはそっと頷《うなず》いた。

「そして、母さんはあなたを手に入れたの。たくさんの人の反対を押し切って、自分の全《すべ》てをなげうって。育生を自分の子どもにするために、大学を辞めて強引に彼と結婚した。誰も祝福してくれなかったし、どうなるのかさっぱりわからなかった。でも、すごく幸せだった。あんなに激しく行動したのも、あんなに強く何かを欲しいと思ったのも最初で最後」

「先生は？　先生はどうなったの？」

僕は自分の父さんであろう人の存在が気になった。

「もちろん死んだわよ。宣言どおり私と結婚してすぐに。長い話になったけど、結論は母さんと育生は血が繋がっていないということ。そして、母さんは誰よりあなたを好きだってこと」

母さんはいつものテキパキした口調に戻ってそう言った。

僕はたった一瞬の間に自分に関するいろんなことを知ってしまった。なぜか大きな驚きはなかった。ただ、不思議なことに僕は泣いていた。母さんがかわいそうだからじゃなく、父さんが死んじゃったからでもない。理由はわからない。僕の目から涙がぽたぽた落ちていた。

母さんは僕の泣き顔をいたずらっぽく笑うと、

「想像して。たった十八の女の子が一目見た他人の子どもが欲しくて大学辞めて、死ぬのをわかっている男の人と結婚するのよ。そういう無謀なことができるのは尋常じゃなく愛しているからよ。あなたをね。これからもこの気持ちは変わらないわ」

と僕の耳元で言った。

僕は何か言おうとしたけど適当な言葉が浮かばなかった。ただわかったたって頷いた。

5

「よし育生、予行練習をしよう」

母さんが出産のために入院した日、朝ちゃんが言った。

「赤ちゃんの面倒をみるのは難しいらしいから練習しておかないとね。育生だって初めてだろう？」

そう言いながら、朝ちゃんは冷蔵庫から卵を取り出してきた。

「何するの？」という僕の質問には答えず、朝ちゃんは、

「妹、弟、どっちが欲しい？」

と訊《き》いた。

「弟」

僕は朝ちゃんが何を始めるのか疑問に思いながらも即答した。妹だったら一緒に遊べないし、きっと泣いてばかりで面白くない。

「よし、男だったら凜々《りり》しくしないとな」

朝ちゃんは卵にマジックで何やら描き始めると、あっという間に仕上げて僕に見せた。

「どうだ男前だろう」

朝ちゃんの手の中の卵には目と口と眉《まゆ》がある。眉が太いし、一応男の子の顔みたいだ。

「鼻がないよ」

僕が言うと朝ちゃんは卵に黒まるを一つ書き加えた。

「それどうするの？」

「これ？　母さんが赤ちゃんを産むまでこの卵で練習すんのさ。赤ちゃん扱うのって大変だろ？　ちょうど赤ちゃんと卵は同じくらい壊れやすいから、卵で練習するのが一番」

僕はおかしな提案だと思いながらも、卵と赤ちゃんが同じくらい壊れやすいっていうのにはなんとなく納得できた。

「育生の弟だから、名前は育太郎だな」

と朝ちゃんは顔を描いた卵の裏に、育太郎と書いた。

「育太郎？」

「いい名前だろ。本物の育太郎が生まれるまで、二人でこの卵の面倒をみなくちゃ。これから忙しくなるよ」

卵の育太郎の世話をするのは、結構大変だった。割れないように、布をいっぱい敷いた籠《かご》に入れて、いつも傍に置いた。昼間は朝ちゃんが会社に連れていった。電車の中が一番大変らしい。丁寧に扱わないとすぐ割れちゃうから、僕も朝ちゃんも、育太郎にすごく優しかった。ちゃんと交代でお風呂《ふろ》にも入れた。ただ、お風呂から上がると育太郎は顔が消えてしまうから、いつも朝ちゃんが顔を描きなおさなくてはいけなかった。朝ちゃんもだんだん絵が上手《うま》くなってきて、育太郎は日に日に男前になった。次第に僕は面倒くさいけど、育太郎がかわいくて仕方なくなってきた。

ある日、夕飯の後、お風呂に入れようと、籠を覗《のぞ》くと、育太郎がいなくなっていた。僕は「育太郎が消えたよ」と叫びながら、洗い物をしている朝ちゃんのところに飛んでいった。

「育太郎？　さっき食べたじゃない」と朝ちゃんは暢気《のんき》な口調で言った。

「何言ってるの？　育太郎がいなくなっちゃったんだよ」

「だから、育生食べただろう。目玉焼き。あれ、育太郎だよ」

僕は怒るより悲しくなるより、ただびっくりした。おなかの中に育太郎がいると思うと、気分が悪くなった。

「明日、育生の本当の弟が生まれるんだよ」と言うと、朝ちゃんは僕の頭をくしゃくしゃに撫でた。「食べたってことは、おまえ誰よりも育太郎と仲良しだ」

僕は中学生になった。少し賢くなった僕は、人間が卵からは生まれないことを知っている。そして、親子の絆《きずな》はへその緒でも卵の殻でもないこともわかった。それはもっと、摑みどころがなくてとても確かなもの。だいたい大切なものはみんなそうだ。そして、僕は何一つ繋がりのない妹、育子ととても仲が良い。

7's blood

七子と七生《ななお》。父さんがつけた。

単純に七が好きだったのか、ほかに適当な名前を思いつかなかったのか、なにか七に特別な意味でもあるのか。とにかく私たちは名前を見れば兄弟だってわかるようになっている。私たちが似ているのは名前だけではない。見る人が口を揃《そろ》えて、「本当にそっくりね」と驚くほど、顔つきも同じだ。

だけど、私と七生は正しい兄弟じゃない。出所が違う。七生は父の愛人の子どもだ。

I

「ななちゃん、もう八時だよ。ねえ、起きてったら」

「うーん」

毎朝ぴたり同じ時間に、七生が私を起こしに部屋にやってくる。

「ななちゃん、遅刻するよ」

まだ声変わりしていない七生の透明な声は、寝ぼけた頭にダイレクトに染《し》み込む。

「ななちゃんってば」

「わかってるって」

七生は母さんと違って、私が完全に目を覚ますまで起こすのを止《や》めない。私はしぶしぶ体を起こした。今日もいい天気だ。カーテン越しの夏前の柔らかい日差しがベッドまで届いている。七生は私が起き上がったのを確かめてから、部屋を出ていった。

七生がこの家に来てから一ヶ月近くが過ぎた。

七生の母親が傷害事件を起こして刑務所に入ったため、我が家で預かることになったのだ。といっても、私と七生の父親はとっくの昔に死んでいるから、七生と我が家はなんら関係がない。私はそれまで一度も七生と会ったことがなかったし、母さんだってまさか愛人の子どもと交流があったわけではないだろう。なのに、どういうわけか我が家が七生を引き受けることになった。奇特な私の母さんが決めたことだ。父さんが死んで七年も経《た》つから、愛人への憎しみみたいなものも消えているのかもしれないけど、あまりに太っ腹な行動に周りは驚いた。母さんが言うのには、「七生の周辺にいる大人の中では、自分が一番まともだったから」らしい。

私は父さんに愛人がいて、その間に子どもがいることはずっと前から知っていた。

だから、衝撃はなかったけど、いまさら腹違いの弟と暮らすことは煩《わずら》わしかった。

父親はあまり家にいない人だった。一緒に過ごす時間が少なかったせいか、物心ついた時から父親と私の間には物理的にも精神的にも距離があった。幼い私は、子どもなりにその距離感に苦悩していた。不必要に甘えたり、だだをこねたり、優等生になったり、父親の気をひこうと懸命だった。しかし、どうやっても父親との隔たりはいっこうに埋まる気配がなかった。父親の愛情は感じていたし、私も父親が好きだった。容姿にも気性にも父親の影響を存分に受けていた。なのに、密な感じにならないのはなぜか、それは父親が死んだ時明らかになった。父親の愛人と子どもの存在がわかって、私は妙に納得した。まだ十歳だった私は、憤《いきどお》りや悲しみを感じるよりも、父親との隔たりの答えとしてその事実をすんなりと受け入れてしまった。他に子どもがいたことは悔しいのか、悲しいのか、今でもわからない。父親に対する憎しみもなければ恋しさもない。私は父親には乾いた客観的な気持ちしか持てないでいた。

すごく上手に父さんは私を裏切った。

「これが、結構かわいいのよ。あんたに似てるしね」

母さんはたった二度七生に会っただけで、すべての段取りを整えてしまった。もともと自分の思いどおりにやる人だったけど、あの時の母さんの思いきりのよさ、強引さは今までにないものだった。

小さなリュックに着替えやら身の回りの物やらを詰め、ランドセル、教科書などの学用品を入れた段ボール一つで七生はやってきた。物置代わりに使っていた四畳の小さな部屋が七生の部屋となった。「お世話になります」七生は挨拶《あいさつ》こそ丁重だったが、卑屈さは微塵《みじん》も感じられなかった。

七生は私の中にある「愛人の子」の概念を覆《くつがえ》す、素直で朗らかな子どもだった。顔のつくりは私と一緒なのだが、黒目がくるくる動き、笑うと口角が上がってえくぼができるという具合に、数段愛らしく出来上がっていた。物怖《ものお》じするということを知らないようで、誰に対しても惑いのない態度で接し、とても愛想がよかった。

母親が水商売をやっているから人に好かれる術《すべ》を身につけているのか、家庭環境に恵まれない子どもはその分生まれつき人に好かれる要素が与えられているのか、七生はすでに母さんのお気に入りになっていて、あっという間に近所でも評判の少年になった。とにかく十一歳とは思えないよく出来上がった子どもだった。

台所へ降りていくと、レタスときゅうりのサラダと目玉焼きとトーストが食卓に用意してあった。七生が作ったものだ。昨日はハムサンドだった。目玉焼きは黄身が固まる寸前で、食パンはしっかり目に焼いてある。いつの間に知ったのか私の好みどおりだ。

「ななちゃん、早く食べないと間に合わないよ」

ぼやけた頭で目玉焼きをつついている私に、七生が食器を洗いながら言った。

「もう。うるさいなあ……」

「昨日も遅刻したでしょ」

「高校は小学校と違って、少しくらい遅刻してもいいんだって」

私はでたらめな理屈を言った。

「そうなの？　とにかくおばさん病気なんだから、あんまり心配かけちゃだめだよ」

七生が来て五日目、母さんは病院に運ばれた。何の兆《きざ》しもなく、突然夕飯後に倒れた。他人の子どもなんて引き受けるからだ。救急車を呼んで大騒ぎだったくせに、病院に着いてしばらくすると、母さんはうそのようにけろりとして、自分で引き取っておきながら、「七子、くれぐれも七生のことよろしく頼むわね」としらっと言ってのけた。

物事っていうのはいつも立て続けに起こる。何もない時はうんざりするくらい凪《な》いでいるのに、突然弟がやってきたと思ったら、母親が入院してしまう。世の中のバランスはことごとく悪い。

七生はさっさと食器を棚にしまうと、布巾《ふきん》で食卓を拭《ふ》いた。どこに何があるのかをちゃんとわかっている。我が家のサイクルがすっかり身についている。子どもというのはこんなにも順応性があるものなのだろうか。

「もう僕行かなくちゃ」

ぽっかり残された一人分の食事を黙々と平らげている私に七生はそう告げた。今時の小学六年生がどれくらいなのか知らないけれど、きっと七生は小さいほうだ。背中のすっかりくたびれたランドセルが重そうに見える。七生は私のほうを向いてにこりと笑うと、「行ってきます」と言ってから出ていった。

六月の高校生活は、単調で何の波瀾《はらん》もない。大学に行く連中は、さすがにがんばっているけど、私は進学しないから、なんとものんきなものだ。教室の窓から見える空気も同様で、すっかり静まり返っている。

私が進学しないのは、母子家庭だからじゃない。父さんが残した保険金もまだ残っているし、月々入る遺族年金もあるから、生活に行き詰まってはいない。ただ、大学に行ったところで、結局は似たり寄ったりの会社に入って、大差ない仕事をすることになるのだから、今必死で勉強するのが面倒くさいのだ。

野沢は教育大に行くために勉学にいそしんでいる。子どもが好きだから教師になるそうだ。私は応援しているふりはしているけど、内心野沢は教師に向いてないって思っている。陽気で明るいだけが取り柄のような野沢が、こんがらがったいろんな子どもたちを相手にできるとは思えない。

「はい、じゃあここの訳、里村」

ぼんやりした頭に宮田の抑揚のない声が届いた。私はしぶしぶ立ち上がった。リーダーの授業は次々と英文に訳をつけていくだけなのだが、何がだめって、私は英語が一番苦手だ。

「里村、こんな基本的な訳ができないのでは困るぞ」

「はあ……」

「はあ……って、ちゃんと考えてるのか」

私は実際以上にやる気がないように見えるらしく、教師に目の敵にされやすい。

「最近の里村はなんだか気が抜けてるなあ。家が大変なのはわかるが、そんなことではいかんだろう」

「はあ……」

「おまえはそれしか言えないのか」

「そういうわけじゃ」

宮田が苛々《いらいら》しはじめたのはわかったが、どうしようもない。

「だいたい三年生の今の時期っていうのは一日だって無駄にできないものなんだ。一時間一時間の授業が今後に反映されていくんだぞ」

宮田は何度も聞いて飽き飽きしている説教を始めた。長くなりそうだ。

「里村、お前は英語ができないんだから、その分しっかり聞かなくちゃいけないんじゃないか。え？　どうなんだ？」

「はあ……」

私は申し訳なさそうな顔をしてみせてから俯《うつむ》いた。

「まったくどうして集中して授業に臨めないんだ」

宮田がぶつぶつ言いながら、私の席に近づいてきた。だらけた生徒たちへの見せしめも兼ねて、今日はしっかり怒られることになりそうだ。

「まあいいじゃん先生。そこはアメリカ帰りの僕が訳しちゃうから、あんまり彼女をいじめないで」

おどけた声が聞こえた。野沢だ。みんながどっと笑った。緊迫していた教室の雰囲気が一気に緩んだ。

「誰がアメリカ帰りなんだ」

宮田はそう言って、笑いながら怒鳴ると、私を追い詰めるのを諦《あきら》めて授業を再開した。

野沢と付き合いだして、もう一年以上になる。けして格好いいわけじゃなかったが、野沢は学校の中では人気があった。勉強もスポーツもそこそこできたし、誰にでも率直に話せるという、高校生活を送る上で有効な魅力を持っていた。私はなぜか野沢みたいな明るくて活発な男の子にはもてた。

「俺も見てみたいなあ。七生」

まだ二時限目の休み時間なのにパンをほおばりながら、野沢が言った。

「見ても面白くないよ」

「里村に似てるんだろう」

「どうやらね」

「それだけで一見の価値ありだよ」

野沢はそう言いながら、得用六個入りのロールパンを次々と片付けていった。明朗快活な高校生は異常な食欲を持っている。空腹のたしにしかならなさそうなものを満足げに平らげる様子は、彼の天真爛漫《らんまん》さの象徴みたいで、私は大好きだ。

「でも考えてみたら腹違いとはいえ、男女が二人っきりで一つ屋根の下に暮らしているのって怪しいよなあ。義理の姉と弟……。艶《つや》っぽいね」

野沢がおちょくった。

「おかしな本の見すぎじゃない？　六歳も離れているのよ。七生は思いっきり小学生だわ」

「小学生かあ。子ども時代の六年ってかなり大きいもんだなあ。そんくらい離れているとやっぱりかわいいもんだろ」

野沢は小さなことにいちいち感心する。

「さあ」

「さあって何？」

確かに七生は相当に愛くるしかったが、私は彼をかわいいとは言えなかった。

「なんか変なのよ。七生」

「どこが？」

「どこがって言われても困るけど」

「変な癖があるとか?」

「そういうのじゃないけど」

「じゃあ何?」

「わかんない。まだ、一ヶ月しか一緒に暮らしてないんだもん」

七生について答えることが面倒になった私はそう言い放った。

「そりゃそうだな。あ、おいしいと思ったらこのロールパン、北海道のバターを使ってるんだ」

袋の宣伝文句を真に受けた野沢はさらにおいしそうにロールパンを口に運んだ。


「どう? 七生は元気にやってる?」

見舞いに行くのは今日で八回目だったが、毎回母さんは同じことを訊《き》いた。

「相変わらずよ」

私は折りたたみの椅子《いす》を広げて腰掛けた。

「七生も七子と二人だといろいろ気を遣って大変だろうね」

母さんの心底心配そうな顔が気に障《さわ》った。

「別にいいじゃない。気を遣うのが七生の趣味であり特技であり実益なんだから」

「やな言い方」

母さんは眉《まゆ》をひそめてみせた。言葉の遣い方や表情の作り方が古びてないから、母さんは実際の年より少し若く見える。

「それよりこれ食べていい？」

私は誰かが見舞いに持ってきた菓子の箱を開けた。

「七生はとってもよくしてくれるって言ってるけどね」

母さんはつぶやくように言うと、自分もマドレーヌを手に取った。

「ふうん」

見えていないところでまで七生は手抜かりない。ちっとも面倒なんてみていないが、私は素知らぬ顔で頷《うなず》いておいた。マドレーヌは高級品らしくバターがたっぷり含まれていて、嚙《か》むと口中に濃厚な風味が広がった。

「そんなことより具合はどうなのよ」

「絶好調よ」

母さんが笑った。

「心配ないってことね」

「そうね。見てのとおりよ」

母さんは病院の中にいるにしては、顔色がよかった。少し疲れた様子はあったけど、肌の調子もよかったし、目もしっかりしていた。

家に戻ると七生が夕飯の用意をしていた。台所に立つ小さな後ろ姿はさすがに健気《けなげ》だ。

「あっ、お帰りなさい」

七生は私に気づくと嬉《うれ》しそうな顔を向けた。

「今日何曜日だっけ」

「火曜だけど……」

「火・木・土は私が夕飯作るって決めたんじゃなかった？」

「そうだけど、ななちゃん今日おばさんのところ寄ってくるって言ってたから遅くなるって思ったし。僕帰ってくるの早かったから」

「そう」

「怒ってるの？」

七生は心配そうに私の顔を見た。

「別に」

食事の支度をする手間が省けたのに怒るのはおかしい。私は家事が苦手なのだから、どちらかといえば喜ぶべきだ。そう思っているのに不愉快な声しか出なかった。

「この前調理実習で習ったんだ、肉じゃが。だからうまくできると思うんだけど」

「そう……。じゃあ……着替えてくる」

「すぐできるよ」

七生はにこりとしてそう言うと、また鍋《なべ》へ向かった。

どうしてだろう。なぜ七生をかわいいと思えないんだろう。あんなに懸命にやっているのにどうして受けとめてあげられないんだろう。父親が母さん以外の女に産ませた子だということが許せないのだろうか。突然自分の生活のペースが狂ったことに苛立っているのだろうか。自分でもわからなかった。ただ、他の人が七生に抱くような好感を持つことができなかった。

肉じゃがに小松菜のおひたしに冷奴《ひややっこ》と具だくさんの味噌汁《みそしる》。母さんが作るのと同じようにバランスのとれた夕食だ。

「おばさんどうだった？」

「まあまあ元気だった」

「よかった」

「うん」

いつも会話の口火を切るのは七生だった。並んで夕飯を食べていながら、黙っているのは落ち着かないらしい。

「今日の体育サッカーだったんだよ」

「へえ」

「伊崎君が連続三回もゴールしたんだ。伊崎君サッカークラブに入ってるからすごく上手《うま》いんだよ」

「ふうん」

「でも村上君半分泣きかけてた。キーパーだったから、みんなに文句ばっかり言われて。坂井先生にまで怒られてさ。坂井先生ってすごく怖いんだよ。三回も続けてゴールされるのはおまえがボーっとしてるからだあって、めちゃくちゃ大きい声で怒鳴ってた」

「へえ」

「明日の給食ってさ、肉団子なんだって。ここの学校では一番人気のある献立だってみんな言ってた。おいしいのかな」

「さあ」

会話はちっとも弾まない。たぶん私に責任があるのだろうけど、伊崎君や村上君が誰なのか知らないし、肉団子の味もわからないから他に答えようがない。

「ななちゃんはどうだった？」

「何が？」

七生は話すことが尽きてしまったのか、私に話題を振ってきた。

「学校。面白いことあった？」

「別に」

「全然？」

「そう全然」

母さんと二人の夕飯の時には、取るに足らない一日の出来事を話していた。なのに、改めて聞かれると思いつかない。残念ながら、学校では取り立てて話すようなことなどめったに起こらないものだ。

「ふうん」

七生は会話を進めるのを諦めて、テレビに顔を向けた。二人きりのぎこちない夕飯を和ますためにつけられたテレビからはニュースが流れていた。

「あ。この小学校僕が住んでたところの近くだ」

七生が声をあげた。画面にはまだ新しい校舎が映し出されていて、その前を通る子どもたちにモザイクがかけられていた。この小学校に通う生徒が自殺したらしい。朝、授業が始まる前に教室の窓から飛び降りて。その子が飛び降りた窓と落下地点のコンクリートが映し出された。まだ四年生だという。子どもが死ぬという事実はなんとも言えない嫌な気持ちにさせる。

「こんな小さいのに」

いたたまれなくなって、私が思わず口にすると、

「朝になって宿題やってないことに気づいたとかじゃないのかな」

七生があっさりと言った。

「まさか」

「きっとそうだよ。あ、もしかしたら宿題じゃなくて体操服忘れたのかもしれない」

七生はふざけたことを真顔で言った。

「そんな忘れ物で死んだりしないわよ」

私は断言した。一生を左右する重大な物ならまだしも、宿題や体操服を忘れたぐらいでは人は死なない。

「でも、子どもなんだもん」

「子どもだからってそんなに簡単に死ぬわけないでしょう」

「子どもって大人より体が小さい分、ショックが回るのが早いんだよ」

七生がいんちきくさい理屈を述べた。

「うそばっかり」

「本当だよ。僕だってさっき肉じゃが作ってる時死にたくなったもん」

「どうして肉じゃが作ってて死にたくなるのよ」

意外に会話が弾んでいるせいか、七生が突拍子もないことを言うせいか、少し笑えた。

「だって、醤油《しょうゆ》入れすぎちゃって、砂糖足してもみりん足してもうまくいかなくて。もうだめだなって思った。取り返しがつかないことしてしまったって」

「肉じゃがぐらいでそんなに思い詰めるんだったら、七生には他にもっと死にたくなるようなことたくさんあるじゃない」

何気なく口先から出ていた。言ってからしまったと思った。なんていやなことを言うんだろう。さすがに自分の言葉にぞっとした。

「母親が刑務所入ったり、愛人の子どもだっていじめられたり、そういうことでは死にたくならないよ。そういうのって死んでまで僕が解決しなきゃいけないことじゃないし」

どうしようと繕う前に、七生がへらっと言ってのけた。七生がまったく気分を害した風ではなかったから、私は自分の吐いた言葉のいやらしさを再認識せず済んだ。

「肉じゃがのほうがどうでもいいじゃん」

「肉じゃがは僕が作り始めたんだし、食事は死活問題でしょ」

「まあね」

難しい言葉知ってるんだなって思いながら私はジャガイモをほおばった。七生が死ぬ気でがんばって復活させたと言うだけあって、調理実習のレシピと思えないほど、だしが利《き》いてこくがあった。

「おいしいよ」

私が本当のことを言うと、七生はよかったと笑った。味がよく染《し》みたジャガイモが口の中でほろりと崩れた。

卒業してからまだ六年しか経《た》っていないのに、住之江小学校の校内に足を踏み入れると、とてつもない違和感を覚えた。自分が通っていた時はさほど感じなかったが、あらためて見まわすとかなり古い建物だ。子どもたちがもう下校してしまっている時間帯のせいか、学校全体がしんと静まり返って、この空間の中に自分だけが浮いて感じられた。

昨日の晩、七生の担任だという浅川先生から学校に来てほしいと電話があった。先生は驚かせてすいませんと恐縮していたが、私はあまり驚かなかった。突然親元を離れて転校してきた七生にいろいろなことがあるのは当然だと思った。

職員室の扉を開けて顔を覗《のぞ》かせると、

「すいません、お忙しいのに」

と、若い女の先生がすぐに気づいて、出てきてくれた。大学、たぶん女子大を出て間もないという感じで、まだ教師独特のだらしなさのない爽《さわ》やかな先生だった。

「お姉さんもこの小学校の卒業生なんですよね」

「ええ」

私は相槌《あいづち》を打ちながら、通された会議室の中を見渡した。小学生だった頃はこんな部屋があることを知らなかった。二人で話をするには広すぎる整然とした部屋には、窓から注ぐ西日がたくさんの影を作っていた。

「突然お電話したから驚かれたでしょう。お母さん入院されているとお聞きしていたから、どうかなとは迷ったんですが、やっぱりお姉さんに相談しておいたほうがいいかなって思いまして」

先生はそう言いながらブラインドを閉めると、机を挟んで私の前に腰掛けた。

「私はここには去年来たばかりなんですよ」

「そうなんですか」

「百年近い歴史があるとかで古くてびっくりしました。再来年にはようやくこの校舎も建て直すらしいです」

浅川先生は、とても感じのいいはっきりした声で話す。

「へえ」

私は静かに頷《うなず》いた。

先生は一通りの世間話めいた挨拶《あいさつ》を済ますと、手際《てぎわ》よく本題に入った。

「でね、山本君なんですけど、お家《うち》のほうではどうですか？」

山本……。七生はそんな苗字《みょうじ》だったっけ。山本七生。母さんも私も七生としか呼ばないから、今更ながらに知った気がした。

「何か変わったことありますか？」

先生は丁寧に繰り返した。

「別に普通ですが」

どう普通なのかわからないが、他に言いようがないから私はそう答えた。

「そうですか」

浅川先生はそれはよかったという笑顔を見せた。淡い色のシャツも薄いピンクの口紅もよく似合っている。きっと生徒にも人気があるだろう。

「山本君、すぐにクラスに馴染《なじ》んで、まだ転校してきて一ヶ月と経たないのに、いろんなことを積極的にやってくれているんですよ」

「はあ」

先生は、七生の学校での活躍ぶりをいくつか話してくれた。どうやら学校でも七生は要領よくやってるらしい。あの快活さや屈託のなさですっかり先生のお気に入りになっているようだ。先生の口ぶりからそれがよくわかる。

「でね、この間他のクラスと合同の学級会で、自己PRをするという場があったんですけど……、山本君そこで、この文章を発表したんです」

先生は何でもないことのようにそう言って、B5程度の大きさの紙を差し出した。大きすぎず小さすぎず、癖のない整った字が並んでいた。書道を習っていたわけでもないだろうに、七生の字は美しかった。

「みんなが一番興味あることにお答えします。期間限定だけど僕の母親は二人います。

一人は病院に、一人は刑務所にいます。どちらが本当の母親かは、日頃の僕の行動を見てくれればわかります」

七生が澄ました顔で発表しているのが目に浮かんだ。なかなか面白い文章だし、短い中でよくPRできている。ただ、日頃の七生の様子からこの問いの正解を考えろというのは、無理だろうけど。

「これくらいのことで大げさだと思われるかもしれませんが、子どもたちって些細《ささい》なことをきっかけに変わるんです。私たちが思う以上に残酷だし、排他的な行動をすぐにとりたがります」

私が七生のPR文をぼーっと眺めていると、先生は深刻な顔つきで重々しく話し出した。別に大げさだとは思わなかった。今の小学校の崩壊は新聞やテレビで取り上げられているから、興味のない私でも知っている。先生が敏感に反応するのもよくわかる。子どもに対しての分析ももっともだと思う。七生の母親が刑務所にいると知ったクラスメートが、態度を変えずにいるわけがない。

「クラスでも山本君人望があるし、勉強も学級活動もがんばってくれていて私も嬉《うれ》しく思っているんです。だからこそみんなとうまくやってほしいし、こんなことさえなければ、彼ならうまくやれると思うんです。ただ、残念だけど、生徒は犯罪者の子どもを受け入れるような寛容な心は持ち合わせていません」

犯罪者の子ども。言葉で聞くと恐ろしくてぞっとした。七生の母親は痴話げんかの末、男をめった刺しにしたらしいから、十分七生は犯罪者の子どもだ。しかし、七生にはそんな表現がまったく当てはまらなかった。そのせいか私は先生の言葉を不愉快に感じた。そんなくくりで七生を表現する目の前の人物に苛立《いらだ》ちを感じた。あなたの生徒に受け入れてもらわなくても結構だって思った。

「私は、まだまだ未熟な教師ですが、みんなと一緒に泥だらけになりながら成長していきたいと思ってます。お姉さんもご協力お願いします」

浅川先生は私にどうしろというような具体的な指示はせず、最後にただそう言って頭を下げた。先生の真剣な顔を見ると申し訳ない気もしたけど、どうでもいいし、どうしようもない。きっと七生ならなんとかするだろうし、先生はみんなに紛れて泥だらけになってないで、排他的で残酷な行動を正せばいいのだ。

なんとなく言いそびれてしまって、学校に呼び出されたことを私が七生に告げたのは、翌日の朝の慌《あわただ》しい洗面所でだった。

「昨日、浅川先生に会ったよ」

私は洗い終えた顔をタオルで拭《ふ》きながら、歯を磨きに洗面所に入ってきた七生に鏡越しに告げた。

「どうして?」

七生はまったく心当たりがないようで驚いた顔をした。

「あんたの発表した自己PRのせいで学校に呼び出されたの」

そう言っても、七生はまだわからないようで、きょとんとしたまま歯ブラシを口に突っ込んだ。

「それがどうかしたの?」

「母親が刑務所にいるって書いたでしょ」

「あれのことか」

謎《なぞ》が解けた七生は止めていた手を動かして歯を磨き始めた。

「あれのことかじゃないわよ」

私は浅川先生の話を簡単にして伝えた。七生は歯ブラシを動かしながらもちゃんと領いて聞いていた。

「そんなことわざわざ公表することじゃないじゃん。面倒なんだから、ややこしいことはいちいち話さないの」

私がそう言うと、口をゆすぎ終えてから七生は、

「だって、みんな僕の家のことすごく興味しんしんだったし……。こういうことって隠そうとするとかえってつつかれるんだよ」

と反論した。愛人の子どもとして十一年、小学生ももう六年やっているのだから、こういうことはすでに経験済みなのだろう。

「そりゃそうかもしんないけど。とにかく、あんまり余計なこと言っていじめられないように気をつけるのね」

私の忠告に七生はタオルで口を拭きながらこくんと頷いた。

「大丈夫。明らかな弱点を掲げるとみんないじめたりしないし。小学生だって同情するの大好きだから」

もっともだ。七生の言うとおりだろうなと思った。かわいそうな人をいたわるのは、それなりに気持ちいい。それはきっと子どもだって同じだろう。

そして、ひとつわかった。私が七生を好きになれない理由だ。今の七生の言葉でそれがはっきりした。無邪気さ、気の利いた行動、子どもらしい笑顔。私が好感を持てないのは、それらが相手が次どう出るかを見透かして作られたものだからだ。七生の無邪気さは、同情を引くために作られたものなのだ。

「すべて計算の上ってことね」

洗面所から出ていこうとした七生に言った。

「計算？」

七生は振り返って首を傾《かし》げた。

「そうよ。わざとらしいのよ。なにもかも。しゃべり方、笑い方……、あんたはいつも周りの人間に気に入られることばかり考えてる。どうすればかわいがってもらえるのか知ってるのよ」

「いけない？」

七生がいつになく挑戦的に言うので、私はかちんときて思わず声が荒立った。

「いけないって、あんたはまだ十一でしょう。なのにちっとも子どもらしくないわ。もっと子どもって、人の顔色見ずに自分の思うように行動するものよ。あんたは人の顔色しか見てない。いつもいい子ぶってるのよ。わざとらしくって吐き気がするわ」

七生は眩《まぶ》しそうに目をしかめながら、私の顔をじっと見ていた。そして小さな声でつぶやいた。

「子どもだからだよ」

「え？」

「僕はまだ十一歳だから。……大人に気に入られないと生きていけないもん。一人じゃ何もできないもん。食べるものも住む場所も、一人じゃどうにもできない」

七生は静かに言った。

「確かにそうだけど……」

七生の言うとおりだ。母さんに引き取ってもらわなければ、七生はどうなっていたかわからない。面倒をみてくれる大人がいなくては、子どもは生活できないのだ。考えたこともなかったけれど、それはとても深刻な事実だ。

「でも、子どもってもっともっと純粋なものなの。そう、もっときれいなの」

私はいい加減なことを言って、七生に反論した。七生は少し困った顔をした。そして、ゆっくりと私の顔を見上げて言った。

「今は僕、まだばかだけど、これから賢くなっていろんなことわかるようになって、いいことと悪いことがもっとはっきりわかるようになって、いいことだけを取り入れられるようになって、自分の汚い部分を取り除く方法もわかるようになって、そしたらきれいになる。それじゃだめなの？」

「だめなのって……」

私はなぜか喉《のど》が詰まって言い返せなかった。

「もう、僕行かなきゃ」

七生は独り言のようにつぶやいて静かに洗面所から出ていった。

「七生らしいね」

学校に呼び出されたことを話すと、この間一度会っただけなのに、すっかり知った顔をして野沢が言った。

「参ったわ」

「かっこいいじゃん。母親が刑務所にいることすんなり言っちゃうなんて、爽快《そうかい》だと思うけど」

「七生に会わせてくれ」というしつこい願いを聞き入れ、先週の日曜日に野沢を家に招待した。男ばかり三人兄弟の末っ子の野沢にとって、無邪気で従順な七生はかわいくて仕方なかったのだろう。すっかりご機嫌に兄貴ぶっていた。

「なんだか気味悪いのよね。もっと、すれてて生意気で陰気なほうがよっぽど子どもらしいわ」

私は言った。

「おまえによく似てると思うんだけどなあ」

野沢が四個目のパンの袋を開けながら言った。今日は焼きそばパンを買えたから、かなり機嫌がいい。野沢の人生の三分の一は食べ物に左右されている。

「やめてよね」

私は顔をしかめた。父親が同じなのだから、顔が似ていることは認めてもいい。実際、目元や口元は自分で見ても、びっくりするくらい似ている。だけど、育った環境も、育てた母親も違うんだから、性格は違う。

「なかなか見どころのあるガキじゃん」

野沢が笑った。

「確かに、あの要領のよさは見どころ満載だけどね」

私はため息をついた。

「おまえ要領のいい奴《やつ》、嫌いなの?」

野沢は焼きそばパンをほおばりながら言った。口をいっぱいにしていても普通にしゃべれるところがすごいと思う。

「俺もよく要領いいって言われるよ」

「野沢はさ、愛情をいっぱい受けてすくすく育てられてさ、天真爛漫《らんまん》なのよ。野沢のそういうところに周りが上手《うま》く乗せられて、物事が勝手に上手く運んでるだけよ。野沢が要領いいわけじゃないわ」

「だったら、七生は俺より偉いじゃん。苦労して、がんばってるってことだろ」

「そうだけどさ」

私はチョコレート菓子を口に運んだ。母さんが入院してから弁当を持ってくることがなくなって、いいかげんなもので昼食を済ましている。

「そういえば、七生さ、腕に痣《あざ》があるよな」

野沢が思い出すように言った。

「痣……？」

「肘《ひじ》の上ら辺に」

野沢は自分の左腕を指して七生の痣の位置を示してみせた。

「……そんなとこに痣なんてないよ」

七生の姿を思い描いてみたが、私は彼の腕に限らずどこにも痣を見た覚えがなかった。

「この間、おまえの家で洗い物してた時に目に入った。結構いっぱいあるよ」

野沢が言った。

「そんなの見たことない」

私だって七生の洗い物をする姿は何度も見ているが、腕の痣なんて気づいたことはなかった。

「隠してんだろう、やっぱり」

野沢が言った。

「じゃあ、どうして野沢が知ってるのよ」

毎日生活を共にしている私が知らなくて、たった数時間一緒に過ごした野沢が知っているのはおかしい。

「俺とは深く付き合わなくていいってわかってるから、七生もうっかり気を抜いてたんだろうけど……」

私はもう一度七生の腕を思い出してみた。やっぱりどこにも痣を思い浮かべることはできなかった。白くてきめの細かい肌しか浮かばなかった。

「七生は大人の顔色見なきゃいけない状況を、嫌ってほど味わってるんじゃないの？　今までにさ」

「何よそれ」

七生に痣があるのかどうかも、その痣がどんな意味を持っているのかも、考えるのが煩《わずら》わしくなって私は投げやりに言った。

「おまえさ、こんな甘いものばっか食ってるから、鈍っちゃうんだぜ」

野沢は私の手からお菓子を横取りして口に入れた。

「鈍っちゃう？」

「そ。一緒に住んでいる人間についてあまりにも無知ってこと。七生に興味がないにしても、そこまで見落とすってよっぽどだね」

野沢の言い方にカチンときた。どうして甘いもの食べて鈍感になんのよ。第一、七生に痣があったからって何なのよ。そう言い返そうとした時にはもう、野沢は男友達と騒いでいた。

あの一件があって以来、七生と私はやっぱりギクシャクしていた。もともと上手くいってなかったけど、今まで何かとしゃべりかけてきた七生におとなしくされると、居心地が悪かった。時間が経《た》てば知らぬ間に何とかなるものだと思っていたが、三日経っても、七日経っても、どうにもならなかった。時間は私たちを元どおりにするために何の力も貸さず過ぎていくだけだった。本当の姉弟《きょうだい》じゃない私たちは、ずれた関係を自然に修復する方法を知らなかった。

夕飯のチンジャオロースーが辛かったせいか、喉が渇いてなかなか寝つけなかった。

レトルトの調味料を使って炒《いた》めるだけなのに、私が作るといい具合に出来上がらない。料理の才能は皆無だ。

水を飲みに一階に降りていくと、台所の電気がついていた。七生も水を飲みにきたのだろう。私の前ではおいしいと言っていたが、やはり辛かったのだ。台所のドアを開けて入っていくと、流しの前に立っていた七生がびくっとして振り向いた。突然夜中に私が入ってきたことによっぽど驚いたのか、七生は声も出さず固まったまま私を見ていた。

「辛かったんでしょう。夕飯」

私がそう言いながら近づいていくと、七生は手に持っていたものを慌《あわ》てて背中に回した。

「何？」

私は食器棚からコップを取り出しながら尋ねた。

「え……？」

七生は背中に何かを隠したまま、後退《あとずさ》りしながら私から離れていく。

「何持ってるの？」

「なんでもない」

七生はどぎまぎしながら首を振った。相当の慌てようだ。どうやら、水を飲みにきたのではないようだ。

「なんでもないって、夜中に台所で何してるのよ」

「別に……。ななちゃんこそどうしたの？　夜中に」

七生はそう訊《き》いてきたが、声がうわずっていた。いつもなら、どんな状況でもさらりと対処するくせに、すっかり落ち着きをなくしてびくびくしている。

私は質問には答えずに七生を窺《うかが》うようにじっと見た。もう一時を回っている。そんな時刻に、台所でこそこそといったい何をしていたというのだろう。何を必死で隠しているのだろう。

「じゃあ、僕もう寝るね」

七生は私の視線から外れようと体をかすかに動かしながらそう言って、背中に何かを隠したまま出ていこうとした。

「ちょっと待って」

私は七生の腕を摑《つか》んで出ていくのを止めようとした。

「放して」

七生が私の手を振り解《ほど》こうとした時、ぼたっと鈍い音を立てて、七生の手から箱が落ちた。

「あ……」

七生はか細い声をあげた。

「何これ？」

私は箱を拾い上げた。それが何の箱なのか、すぐにわかった。同時になんとも嫌な気持ちになった。小さな花の絵が一つ描いてある白い箱。駅前のケーキ屋のものだ。何をしてるのかと思えば、七生は夜中にこそこそとケーキを食べようとしていたのだ。

「返して」

七生が消え入りそうな声で言った。

「どうして隠れて食べるのよ。堂々と食べればいいじゃない」

今まで何度かこうやって夜中にケーキを食べていたのだろうか。想像するとぞっとした。

「いいから返して」

「いやらしい。あんたがこんなに食い意地が張ってるとは知らなかったわ」

私の声が夜中の台所に鋭く響いた。

「返してってば」

七生は私の手から箱を奪い取ろうとした。

「そんな必死で取り返さなくても、誰もこんなケーキ食べないわよ」

私がそう言って箱を開けようとすると、七生は悲痛な声をあげた。

「やめてななちゃん、開けないで」

「何なのよいったい。開けて見るくらい、いいでしょ」

「お願いだから、開けないで」

七生は目に涙を浮かべながらそう言った。そんなにケーキが大事なのだろうか。私はますます苛立《いらだ》った。

「ねえ、ななちゃん、返して」

七生は私の手を握って箱を奪い取ろうと引っ張った。

「いやよ」

私は七生の手を振り切って、箱を開けた。

中には小さな円形のショートケーキが入っていた。いつのものだろうか。イチゴは萎《しな》びていて、すっかり硬くなった生クリームはひび割れていた。腐ったケーキの上には、さっき落とした衝撃で割れてしまった大きなチョコレートの板が載っていた。

「これ……」

私はケーキの箱を抱えたまま七生を見た。七生は羽をちぎられて逃げる術《すべ》を失った小鳥のような絶望的な顔をして、俯《うつむ》いていた。

「どうして……」

どうして隠してたの、どうして渡してくれなかったの、どうして……。私は鼻の奥がじんわり痛くなるのを感じた。どうしてかはよくわかっていた。

腐ったケーキの上のチョコには「ななちゃん誕生日おめでとう」の文字があった。

「だって……」

何か言おうとしていたが、七生の声は嗄《しわが》れていてうまく続かなかった。

四日前、私は十八歳になった。病院で母さんに祝ってもらって、その後野沢と過ごした。七生からはおめでとうの言葉もなかったが、私の誕生日を知っているとは思っていなかったし、気にも留めていなかった。

「七生こういうの渡して喜ばせるの得意じゃない」

私がそう言って微笑《ほほえ》むと、

「だって、ななちゃんこういうの嫌いでしょ」

七生もほんの少しだけ笑った。

「食べよう」

「え？」

私の発言によっぽど驚いたのだろう。七生は素《す》っ頓狂《とんきょう》な声をあげた。

「これ。少し遅くなったけど、せっかくのバースデーケーキだし」

「だめだよ。もう腐ってるもん」

「大丈夫だって。今どきのケーキはそんな簡単に腐らないって」

私はケーキの箱を顔に近づけた。甘い香りの代わりに酸《す》っぱい匂《にお》いがした。

「四日間も机の下に置いてたんだ。絶対腐ってるよ」

「どうして四日間もそんな所に置いておくのよ。ケーキは熟成させてもおいしくなんないよ」

私はそう言って吹き出した。

「だって、最初は渡すタイミングがわからなくって、次は捨てるタイミングが見つからなかったんだもん」

七生が言い訳がましく言った。

「そっか」

私はもっともだって頷《うなず》いた。少なくとも今の七生はいとしいと思えた。

「ねえ。本気で食べるの？」

七生が心配そうに尋ねた。

「とっても本気。絶対に食べる」

夜のせいか、おなかが空いているのか、なぜか私は無性にこのケーキが食べたかった。黄色くなった生クリームや水分がなくなったスポンジを口に入れたいと思った。崩れかけたこのケーキがすごくいとしく思えた。腐っていようが味がどうなっていようが、体に入れたいと思った。

「今の季節は食中毒にかかりやすいんだよ。ニュースでも言ってる」

「いいから、お皿出して」

私は七生の忠告を無視して言った。

「ねえ、やめようよ。絶対に腐ってるってば」

七生はだだっこみたいに繰り返し同じことを言った。

私はケーキをテーブルに載せると、見るからに腐って変色しているイチゴだけを取り除いて、半分に切った。私に何度もせかされ、七生は嫌がりながらもケーキ皿を出してきた。

「ケーキを食べる時には、１００%のジュースを入れなきゃね。知ってる？　果汁１００%じゃないのは、ジュースじゃなくてドリンクって言うんだよ」

私は冷蔵庫からオレンジジュースを出した。ジュースやフォークを用意する私の横で、七生はまだ不安げにケーキを見つめていた。

「やだよ、こんなの食べれないよ」

「食べるって言ったら食べるの」

私は七生を残してさっさと席についた。

「ねえ、ななちゃん。死んじゃうよ」

七生の目からは涙がこぼれている。

「ばかね。腐ったケーキ食べたくらいで死ぬほど、繊細じゃないでしょ。せいぜいおなかが痛くなる程度よ」

私はそう言って、七生にタオルの代わりに手近にあった台拭《だいふ》きを押しつけてやった。

「ね、早く座って」

七生は泣くことを止《や》めないままで私の向かいに座った。

「さあ、食べよう。おめでとうは?」

「おめでとう」

七生は台拭きでごしごしと顔を拭いて、ちっとも気乗りしない声で私を祝ってくれた。

「ありがと。では、いただきます」

私はケーキを口に運んだ。スポンジの間に挟まれているイチゴが、すっぱさを通り越して苦くなっている。生クリームはかなり嫌な味がした。味覚音痴の私にも腐っているのが明らかにわかった。

「うん。確かに腐ってる。でも、すぐにジュースで飲み込めば大丈夫」

私は心配そうに見つめる七生にそうアドバイスして、もう一口ケーキを口にした。七生も私に続いてケーキを口に入れると、顔を歪《ゆが》めた。半分泣いているせいもあって、七生の顔はとても面白くなった。

「七生、これ駅前のケーキ屋さんで買ったでしょ。あそこってパン屋が片手間でケーキ作ってるだけだから、おいしくないんだよ」

私は吹き出しながら言って、またケーキを口に入れた。なんとも言えない味が口中に広がる。おなかを壊すのは確実だ。

「こんな変な味のケーキ食べるの最初で最後だろうな。しかもバースデーケーキ。絶対忘れられない誕生日になりそう。ふふふ」

夜中のせいで、ついでにケーキにもあたってしまったのかもしれない。私は少し饒舌《じょうぜつ》になっていた。七生は涙を流しながらも、ケーキを黙々と食べていた。

ケーキがあまりにまずいからだろうか。そっと捨てようとしていたのに私に見つかってしまったからだろうか。どうして七生がこんなに泣いているのかはよくわからない。七生の目からは面白いくらい真《ま》っ直《す》ぐに涙が落ちた。子どもっていうのは、私が思っているよりずっと単純なのだ。

私たちは夜中の台所で、腐ったケーキを残さず平らげた。

2

七生と暮らし始めてから、二ヶ月以上が経《た》った。私たちはそこそこ上手《うま》くやっている。腹違いの姉弟にしては、上出来なほうだろう。七生は私を含め、他人との距離の取り方が絶妙で一緒にいる人間を疲れさせなかった。

母さんは元気そうだったが、手術が繰り返し行われていて、退院の見込みが立たないのが気がかりだった。「あちこち弱っちゃってたのが、今になってどっと発覚したのよ」母さんはそう言って笑っていたけど、実際そのとおりなのかもしれない。今まで働きづめだったのに風邪ひとつ引かなかったのだから。

夏休み第一日目は気持ちよく晴れ上がっていた。どこにも雲のない青空、明日もあさってもも雨など降らない。そんな天気だ。なのに、朝になって野沢に遊びに行く約束を取り消された。予備校の集中講義を忘れていたらしい。私はうそくさい言い訳だと思いながらも受験生はいろいろ大変だろうと快く了承した。だけど、すっかり出かけるつもりになっていた気持ちを切り替えるのは難しい。

夏休みに入ったばかりなのに友人を誘うのも気が引けた。受験生は野沢だけじゃないのだ。勉強しなくていいのは気楽だけど、こういう時、取り残された孤独感を少なからず感じる。

「ああ、どこか行きたいなあ」

そうつぶやいてひらめいた。私には弟という使える存在がいるではないか。腹違いとはいえ姉弟は便利だ。どこに行くにしても約束とか待ち合わせとか前ふりが要らない。七生だって、夏休みなんだからどこかに連れていってあげないと。

「七生、ねえどこか行かない？」

私は階段を上がりながら、ベランダで洗濯物を干している七生に声をかけた。庭のない狭い我が家では洗濯物はベランダに干す。

「ねえ七生ったら」

私がベランダに出ると、七生の怒った声が返ってきた。

「ななちゃん、ポケットの中の物はちゃんと出しておいてって言ったのに」

七生が広げたバスタオルには、細かくちぎれてもろもろになったちり紙がたくさんついていた。

「私じゃないよ」

「ほら」

七生は洗濯籠《かご》から私の短パンを取り出して、ポケットを裏返して見せた。ポケットには、ちり紙の塊がくっついていた。

「あらあら。ちゃんと出したと思ったのに。いつも七生が洗濯当番の時だけ忘れちゃうのよね」

母さんが洗濯をしていた時も、私は度々ポケットの中にハンカチやらちり紙を入れたままにして怒られた。ちり紙を入れておくと面倒なことになるのは、最近、自分で洗濯をし始めてよくわかっているのだが、うっかりしてしまう。私は七生の機嫌をとるために、洗濯物に貼《は》りついたちり紙を取るのを手伝うことにした。

「今日って野沢君とデートじゃなかったの?」

膨れてみせてはいるけど、ちり紙くらいで感情を害されない寛容な七生だから、傍に寄るとすぐに話しかけてくる。

「そうなんだけどね」

「断られたの？」

「予備校の集中講義だって」

私は野沢のうそくさい言い分をそのまま伝えた。野沢のうそはうそとして成り立ったためしがないのに、野沢はあっけらかんとうそをつく。

「ふうん」

七生は手際《てぎわ》よくちり紙を取り除くと、Tシャツをパタパタはたいてからハンガーに通した。七生はしゃべっていても作業がまったく滞らない。私はよく動く日焼けした七生の腕を眺めた。夏の日差しのおかげで黒くなった腕は、痣《あざ》が少し目立たなくなっている。

七生がうっかり気を抜くことが多くなったのか、ダイエットを始めた私が甘いものを控えて敏感になったのか、少し前から七生の痣が目につくようになった。私はそれほど痣について知りたいとは思わなかった。だけど、触れないことが妙に不自然に感じられて、七生に尋ねたことがある。

「どの人だったか忘れたけど、前、お母さんが一緒に住んでいた男の人によく殴られたんだ」七生はあっさりと答えた。「許せない」と怒る私に、七生は「良い子じゃなかったから仕方がない」と笑った。七生が良い子じゃないわけがない。でも、子どもにはどうしようもないことがいっぱいあるのだ。暑くなったせいか、その日以来、七生は袖《そで》の短いシャツを着ることが多くなった。

「ほんとは他の子と遊んでるんだろうけどね」

私は七生の手からちり紙がたくさんついたハンカチを取ると、狭いベランダの隅に腰掛けた。

「女の子？」

「そりゃそうでしょ」

最近野沢は、予備校で同じクラスになった女の子をいたく気に入っていた。きっとその子にお茶でも誘われて飛びついていったに違いない。

「野沢の塾にさあ、東原ユリカっていう子がいるんだって」

「ふうん」

七生は話が面倒な方向に進むのを避けるかのように無関心な声を出した。

「どう思う？」

「どうって言われても、その人僕知らないし……」

「私だって知らないわよ。でも、東原ユリカだよ。かわいいに決まってるじゃない」

「そうなの？」

七生は手を止めないで訊《き》いた。

「そりゃそうよ。ユリカなんてゴージャスな名前なのに不細工だったら外出られないでしょう。不細工だったら親が慌《あわ》てて名前変えてるわよ。それに東原。東原よ。お嬢様ならではの苗字《みょうじ》だわ」

そう言いながら、ちり紙を取るのに飽きた私はベランダの隅に目をやった。七生が来てから元気がよくなったプランターのミニトマトが青っぽい実をたくさんつけている。

「初めて聞いたよ。そんなの」

七生は私の理屈に疑わしげな顔をした。

「本当よ。それに比べて、私なんて、里村だよ。里に村よ。余裕で田舎くさい苗字ベスト5に入るじゃん。苗字だけならまだしも、加えて名前が七子。里村七子って。絶対に名前負けしない名前だわ」

私がぶつぶつ言うのに、七生が笑った。

「僕はいいと思うよ。七子ってとっても親しみやすい名前だもん」

「そりゃそうでしょう。あんたの名前とほぼ同じなんだから」

私はあきれた顔をしてみせながら言った。

「そっか。あ、それは干さなくていいよ。後でアイロンかけるから」

洗濯物を干し終えた七生を見て、ずっと持っていたハンカチを慌てて吊《つ》るそうとして注意された。

「野沢君のこと怒ってるの？」

七生はそう言いながら、ベランダにちらばったちり紙のかすを箒《ほうき》で掃き始めた。

「別に。あんたってよく働くね」

私はそう言って、七生の髪をくしゃくしゃになるまで撫《な》で回してやった。

「もう。やっぱり怒ってるんだ」

七生は髪に手をやりながら言った。七生の髪は柔らかいから、すぐに癖がついてしまう。

「怒ってはないよ。ただ、今日は出かける気まんまんだったから、外に行けないことに頭にきてるの」

私は本当のことを言った。

「そっか」

「七生、一緒にどこか行かない？　アイスおごるよ」

「僕、今日友達と宿題する約束してるんだ」

アイスまで出して誘ったのに、意外にも七生に断られてしまった。

「宿題？」

「七月中に夏休みの宿題片付けようと思って」

七生が言った。

「ふうん。女の子？」

私が訊くと、七生は困ったように笑って頷《うなず》いてから、

「でも、ちゃんと勉強するんだよ」

とつけ加えた。

「この暑さだと、病人じゃなくても参っちゃうでしょ」

母さんは、私が持ってきたゼリーをおいしそうに口に運んだ。母さんはゼリーとか春雨とか透明な食べ物が好きだ。

「でも、今年は冷夏らしいよ」

私は持ってきた母さんの着替えを片付けながら、そう言った。

「本当に？　この暑さで」

「本当よ。新聞読んでないの？　平均気温をだいぶ下回ってるのよ」

私も新聞なんて読まないが、七生が記録的な冷夏だって騒いでいた。

「そう言われても、去年の夏の暑さの感覚なんて、もう体から消えちゃってるから、比較できないわよ。ただただ暑い」

母さんは夏が苦手で、毎年六月頃から、「暑い暑い」を連発している。

「元気なのになかなか退院できないね」

折りたたみの椅子《いす》に腰掛けると、私もゼリーを開けた。

「優秀な患者だから、病院側がなかなか離したがらないのよ」

母さんが言った。

「入院してもう二ヶ月も経つんだよ。ちょっと長すぎない？　もしかして……」

はっきりしない母さんの病状に、時折私は話を向けてみるのだが、母さんはいつもあっさりと流してしまう。

「あんたテレビドラマの見すぎじゃない？　残念ながら、こんな生き生きした重病人はいないわよ。がっかりさせて悪いけど」

「じゃあ、いつ退院できるの？」

「さあ、どうかなあ」

母さんは無責任に言った。

「どうかなあってどうなのよ」

「わからないものはわからないわよ。母さんは医者じゃないんだから。たまにはゆっくりさせてくれたっていいでしょ」

母さんはふてくされたように言った。

「そんないい加減な。いつまで七生と二人にさせておくのよ」

「じゃあ、九州のばあちゃん呼ぶ？」

私が抗議すると、母さんが提案した。父さんが死んでから、父方の親戚《しんせき》とは連絡を取っていないから、私の身寄りといえば、母さんの両親と兄さん一家だけだ。祖父母と伯父の家族は九州で一緒に暮らしているのだが、みんな揃《そろ》って熱血で昔気質《かたぎ》で厳しい。お盆や正月に会う度に長々しい説教をされてしまう。率直でまじめで悪い人たちではなかったが、私は苦手だった。

「遠慮しとく。しばらく七生と二人で姉弟の絆《きずな》を深めることにするわ」

私は慌てて首を振ると、ばあちゃんの話が現実化しないように、殊勝なことを言っておいた。母さんは「でしょ」と勝ち誇ったように笑った。食欲もあるし、元気そうだし別に心配はいらないはずだ。

「七生と一緒に来ればいいのに。あの子だってもう夏休みなんでしょう」

ゼリーを食べ終えた母さんが言った。

母さんの病室に七生と一緒に来たことは一度もない。病院は駅のすぐ裏手にあり、電車通学をしている私は学校帰りに寄るほうが都合がよかったから、七生とは別々に訪れていた。

「誘ったんだけど、ふられたのよ」

私はグレープフルーツゼリーにスプーンをざくざく差し込みながら言った。

「あんたが七生に？」

母さんは本当に驚いたようで顔をしかめた。

「そうよ。七生、私には手を抜いてるのよ。大人に誘われようものなら、いつもにこにこして飛びついていくくせに、あっさりけられたわ」

「へえ。七生も成長したじゃない」

母さんは嬉《うれ》しそうに言った。

「私を軽く見てるのよ」

私はゼリーを食べるのを止《や》めた。グレープフルーツゼリーは甘ったるかったし、病室の匂《にお》いをかいでいるとどうしても食欲が失《う》せてしまう。

「まあまあ。優しくしてあげてよ。……あの子、驚くくらいいろんなことよくわかっているのよ。わかりすぎるくらいいろんなことを。ね」

母さんはそう言って、私の顔を見て微笑《ほほえ》んだ。確かにそうだ。七生はよく知っている。たとえば、私が七生に軽く見られながらも、それは七生が私だけに見せる姿なんだと勝手に優越感を抱いていることも、きっとお見通しだろう。

「今日は弟さんいらっしゃらないんですか?」

病室の前で看護師に言われた。

「ここのところ毎日来てるから、七生君。パタパタ走りながら」

看護師はそう言って、微笑んだ。清潔で親しみやすい笑顔に同性でも好感を持てた。

「さっき、同室のおばさんにも言われました」

「七生君人気者だから」

「やっぱり」

私が言って、二人で笑った。

病院からの帰りに夕飯の買い物を済ませた私は、商店街から抜けた裏道で七生の姿を見つけた。一緒に宿題をしていた子だろう、小さくて髪の長い女の子と一緒だ。ちょうどよかった。そう思って、七生に声をかけようとして私は思わず立ち止まった。七生とその女の子がキスをしたのだ。軽い軽いくちづけだけど、ちゃんと唇と唇が合わさっている。ほんの二、三秒の出来事だったが、私はすっかり参ってしまった。

「あ、ななちゃん」

呆然《ぼうぜん》と立ちすくんでいる私に気づいた七生が先に声をかけてきた。

「こんばんは」

女の子が小さく頭を下げた。私はさっきの光景にどきどきしながらも二人に近づいた。

「こんばんは。えっと、……勉強は進んだ？」

「はい」

髪の毛がさらさらで、ちょっとしゃれたスカートをはいていて、色の白いきれいな顔をした女の子だった。

「それはよかった」

私はそう言って微笑みつつも、その子の唇にばかり目がいってしまった。

「じゃ、山本君またね」

女の子は七生に手を振って、私にお辞儀をした。

「またな、高山」

七生の声はいつものかわいらしさが抜けていて、すっきりと響いた。七生が実際より幼く見えるから不自然に感じるだけで、十一歳ってこんなものなのだろうか。

「ななちゃん、かして」

七生はぽかんと女の子の後ろ姿を見つめていた私の手から買い物袋を取って、歩き出した。

「ああ、ありがと」

「おばさんの具合はどうだった?」

「へ?」

「おばさん、元気だったの?」

病院に行ったことを話してないのに、七生が聞いた。

「うーん、まああかな」

私は上の空で答えた。さっきのキスシーンが目に焼きついてどきどきしていた。軽いキスだったけど、目の前で、しかも腹違いとはいえ弟のキスシーンを見たのだから、面食らって当然だ。いつから仲良くしているのだろうか。どういう関係なんだろう。

「そっか。よかった。……夕飯何買ったの？」

七生はスーパーの袋の中を覗《のぞ》き込んだ。

「もしかして、今日の夕飯って……カレー？」

「そうよ」

私が答えると、

「また？」

と、七生が少し膨れた。

「だっておいしいんだもん」

私の料理当番の時はもっぱらカレーだ。一度作ったら、二、三日もつし、カレーさえ作れば他の献立を考えなくても済む。正直言って私もカレーはうんざりだったが、簡単さにはかなわない。

「もっとあっさりしたもの食べたい」

七生は年よりじみたことを言った。

「わがまま言わないの。……そんなことよりさ」

そんなことより七生に聞きたいことがあった。

「そんなことより?」

七生が私のほうを見て首を傾げた。

「あの、さっきの女の子」

「高山さん?」

「うん。かわいいね」

「まあまあね」

七生は別段興味もなさそうに言った。

「まあまあって好きなんでしょ?」

私が言うと七生は「まあね」って答えた。

「私はてっきり七生はマキちゃんのことが好きなのかと思っていたけど」

マキちゃんというのは、近所に住んでいて、学校に行く時、時々七生を誘いにくる女の子だ。とにかく声がでかくて、威勢がいい。いつもひざが丸見えの短いスカートをはいていて、鼻をくしゃっとさせて笑う。私は結構気に入っていた。

「マキちゃんも好きだよ」

七生は照れもせず言った。

「でも、高山さんは特別なんだ」

「特別？　別にマキちゃんと一緒だよ」

「うそ。だって、高山さんとはさっきキスしてたじゃない」

私は思わず見ていたことをばらしてしまった。

「キスだったら、マキちゃんともするよ」

七生は平然とそう言ってのけた。驚くと同時にあきれ返ってしまった。どうやら七生は、父親の血をしっかり受け継いでいるらしい。

「七生、あんたねえ……」

私は大きくため息をついた。

「何？　だめなの？」

私の反応に七生は驚いたようだ。

「だめなの？　って決まってるじゃない」

私は貧血を起こしそうになった。

「好きな人がたくさんいるっていいことでしょ」

悪びれる様子もなく七生は言う。

「でも、むやみやたらにキスなんてするものじゃないわ」

「そうなの？」

「当たり前でしょう」

まったくどんな風に育ってきたのだろう。小学生でこれでは、行く末が恐ろしい。

「母さんのお店の人はしょっちゅう僕にキスしてきたよ」

どうやら七生は血筋といい環境といい、女好きになるべく育ってきたようだ。

「あのね、七生、たやすくキスなんてしちゃうと、本当にすごくすごく好きな人ができて、その人とキスする時に働く神経が鈍るのよ」

「それって困ること？」

「困る困る。好きな人とするキスってそりゃあ、全然気持ちよさが違うんだから。今慣れすぎちゃうとその気持ちよさは半減だよ」

七生はふうんと頷《うなず》いた。

「ななちゃんは野沢君とする時そういう気持ちなの？」

私は首を振った。もちろん、初めて野沢とキスした時は、やっぱりぞくぞくしたし、体が溶けるって感覚がわかったようで感動した。だけど、野沢とのキスはあまりに率直で明確すぎる。それに今ではキスどころかその先もしてるから心地よい感動は消えうせている。

「私は野沢とはもう慣れきっちゃったから、だめだねえ。だから望みを七生に託すの」

「わかった」

七生は素直にそう言うと、にこりと笑った。

一週間以上間があいて、久しぶりに野沢と会うことになった。この間みたいないい天気じゃないけど、まあいい。

昼ご飯を食べ終え出かける支度をしていると、ばたばたと足音を立てて七生がやってきた。

「ななちゃん、すごい面白いことを知った」

ドアを開けながら七生が言った。

「どうしたの」

「アイスクリーム作ろう」

「は？」

七生は私にタッパーと大きな容器を見せた。

「タッパーに牛乳と卵と砂糖を入れて、氷をいっぱい敷き詰めた容器の中に入れて、何回も何回も振るとアイスクリームになるんだって」

七生は少し興奮気味に話した。

「なるほど」

どうりで、食後何やら探していたのだ。

「すごいでしょ。早く作ろう」

「残念ながら、七生君。私今からお出かけなのよね」

「うそ?」

七生は本当にびっくりしたように言った。

「本当。だからこんなおしゃれしているのだ」

私は珍しいスカート姿を七生に見せつけてやった。

「それって、アイスクリーム作るためじゃないの?」

「まっさか。デートなの。悪いけど、一人でやっといて」

私は七生の頭をごしごし撫《な》でてやった。

「こんなの一人でしたって、全然びっくりしないもん」

びっくりするのに、人数が関係あるのだろうか。

「じゃあ、今度」

「今度って、今すぐ試してみたいのに」

七生は不服そうに言った。

「先延ばしにすると楽しみは倍増だよ」

適当になだめると、私は鞄《かばん》を手に取った。

「本当に行っちゃうの？」

「行っちゃうよ」

七生は「ふうん」とわざとらしい大きなため息をつきながら、玄関に向かう私の後ろを付いてきた。

「それではお留守番よろしくね」

私が言うと、七生が窓の外を指した。

「ねえ、あの空見てよ」

「空がどうかした？」

「遠くのほうの空、すごい変。どうして夏の空って時々ああいう色になるんだろう。雨のせいでもなくて、夜がやってくるせいでもなくて、何もないはずなのに、薄暗くなるの。おかしいでしょ。まだ二時だよ。僕の大嫌いなオレンジが灰色に混ざってる。薄気味悪くてどうしていいかわからなくなっちゃうよ」

七生が健気《けなげ》に言いつのる。

「残念ながら、そんなことでは引き留められないわよ。いくら気味悪い色してたって、空は夜になるといつもとおんなじ色になるわよ。晴れでも曇りでもね」

「夜のことなんて知らないよ。僕は子どもだから昼間が勝負なんだ」

七生が見せるこういう部分は、まだ小学生なんだと実感できて嫌いじゃない。ただ、今日は野沢と待ち合わせの時間が迫っているから仕方ない。アイスクリームはいつ作ってもきっとおいしくできてびっくりするだろうけど、野沢とは今日会っておかないとなんだかお座なりになってしまいそうな気がした。

「もう時間ないから、行ってくるね」

七生は「いってらっしゃい」とは言わずに恨めしそうに玄関で私に手を振った。

よく見ると、七生の言うとおりだ。喫茶店のガラスの向こうに立ち込めている空気は、なんとも薄気味悪い。光化学スモッグのせいだろうか。

「何、不機嫌なの?」

野沢が言った。

「え?」

「外ばっかり見てる」

「そんなことないよ」

「この間のこと怒ってるの？　突然行けなくなったこと」

「全然」

私はきっぱりと首を振った。野沢が女の子と遊びに行っていたとしても、さほど気にはならなかった。とても自然なことだと思う。男はみんな女の子が好きなのだ。かわいい女の子が近くにいれば、遊びたくなって当然だ。父親がいい加減だったから、私は男の人にとても寛大だ。野沢との会話がはかどらないのは、別に怒っているからじゃない。毎日学校で会っていた人物と、違う場所で久々に向き合っているということに調子が狂ってしまっているのだ。それと、このおかしな空のせいだ。

「勉強は進んでるの？」

私は怒っていないことを証明するために、会話を進めた。

「まあぼちぼちかなあ」

野沢がため息まじりに答えた。

「受験生も大変だねえ」

「里村もさあ、大学行けばいいのに」

「別に深めたい学問もないし、受験する気力がないよ」

私はアイスティーの中の氷をからからかき混ぜながら言った。この店のアイスティーはおいしい。小さなミントの葉が浮かべられていて、ちょうどいい具合の爽快感《そうかいかん》が口に残る。

「大学って勉強ばっかじゃないじゃん。いろいろ楽しいと思うよ。なんといっても世間的に認められている自由な立場っていうのがいいしさ。友達もできるし」

「友達なんかわざわざ大学行ってまで作らないよ。……野沢がいればそれでいい」

「え……？」

「野沢やっぱり、かっこよくなったよ。勉強するってすごいことなんだね」

「何なんだよ。気味悪いなあ」

野沢が笑った。私も笑った。

「ほんの少し気合い入れて、鳥肌立ちそうな言葉を吐くって大切なのよ。そういう言葉が人付き合いを円滑にしていくの」

「どうしたどうした、ちっとも里村らしからぬ発言じゃん」

「七生の母さんがね、刑務所に入る前に七生に伝授したんだって。『そんな年には見えない。すごく若く見えますねえ』。この言葉さえ使えば、だいたいどこへ行っても大丈夫って。野沢に若く見えるって言っても仕方ないし、今のは応用編」

七生にこの話を聞いた時、いかにも水商売をしている人らしい発想だと思ったけど、面白いほどこれは使えた。人付き合いなんてテクニックを使えば意外と単純なものなのかもしれない。

「里村も少しは社交的になったんだ」

「社交的にはならないけど、いろんな人とひとつでも多くの言葉を交わすことは、なかなか有効なのかもしれないなあって」

「俺がいればそれでいいんだろう？　他の人と言葉なんて交わさなくていいじゃん」

野沢はもう氷だけになったグラスをストローで乱暴にかき回しながら、へらへら笑った。

「さっきのはべんちゃらよ。野沢だけだったら、生きていけない」

「えーなんだよそれ。俺は里村だけいれば十分だよ」

男ってこういう明白なうそを本気で言うから、どうしようもない。

「もっと自分と確かな繋《つな》がりを持ってる人がいないとつらいよ」

「俺たちめちゃめちゃ繋がってんじゃん」

「恋愛感情だけでね」

「何、これって別れ話？」

野沢がそう言って、二人とも笑った。

「でも、野沢がかっこよくなったのはほんとだよ」

女が化粧や洋服で変わるみたいに、男はちょっと本を読んだり何かに熱中したり考えを深めたり広げたりすればハンサムになる。それは本当だ。

店を出ると、夕暮れが近づいていることも手伝って、空の色の気味悪さは格別だった。

「これからどうする?」

「どうするって、見てよあの空」

私は七生と同じように、今日の空の色がただごとじゃないことを、野沢に告げた。今まで空に関する認識なんて「雨」「晴れ」「曇り」の三種類しかなかった。だけど、この微妙な色合いの空は見逃せなかった。

「空気が汚かったからじゃないの? 光化学スモッグのせいだよ。きっと」

「なんか妙なのよね。普通じゃないわ。あの空」

「じゃ、映画でも見よっか。外見なくてすむし」

「それって現実逃避だわ」

「じゃあ、俺の家来る？　今日おふくろパート遅番だから、今家にいないし」

野沢のこういうところ、私はすごく好きだ。問題の解き方が単純明快。変な理屈やまどろっこしい見解を含めずに率直に答えを出す。不必要に考えたり、迷ったりするのは、体を動かしてないからだ。いつか野沢が言ってた。体を動かして疲れたら、悩みなんて皆無になるって。だけど、そんなやり方で簡単に割り切れないものも時々ある。

「絶対やだ。そんなことしたくない」

私が反対すると、野沢がうんざりっていう顔を作ってみせた。

「じゃあ、どうするの？」

「そうだね……」

私は再度空を見上げた。もう二、三時間もすれば、夜が到着して空をちゃんと黒くしてくれるだろう。今、私が解決しなくても、あの辺りの不可解なオレンジ空も他と同じ藍色《あいいろ》に変わる。いともたやすく。だけど、今じゃないとだめなこともある。

「わかった」

「え？」

「ごめん野沢、私帰るわ」

「何。いったい？」

「また電話する」

私は不条理な顔をしている野沢を振り切って、少し駆け足で駅に向かった。

駅の裏側にアイスクリーム屋がある。小さいけど、しゃれていて、毎月新しい味のアイスが売り出されるのが、評判だった。確か今月はオレンジシャーベットだった。

私は公衆電話を探した。

「七生？」

「あれ、ななちゃんどうしたの？」

電話を通すと七生の声は一段幼く聞こえる。

「今から出ておいでよ」

「え？」

「駅前の『なかぎり』っていうアイスクリーム屋さん知ってるでしょ」

「知ってるけど……」

「そこの前で待ってる」

「どうして？」

「一緒にアイス食べよ」

夜が来る前にこの空の下で七生とアイスを食べる。空の色はいとも簡単に変えられる。

3

夏は気力も弱まって、もうすぐ秋に吸い込まれそうだった。

頭がこんがらがっている私の横で、すべてのことがつつがなく進められていた。こういう時、未成年というのは幸せだ。打ちひしがれていれば、周りがなんとかしてくれる。

昨日の朝、夜が明けるのと同時に母さんが死んだ。苦しそうな顔も見せずに、すんなりと息を引きとってしまった。

七生は親戚《しんせき》や知人の輪から少し離れて座っていた。七生の顔からは、悲しみも不安も何も窺《うかが》われなかった。体のどこからも感情を一切洩《も》らさず静かに進行を見守っている。泣くことを待たれている私と、泣くことが許されていない七生とどちらがつらいのだろう。私は泣かなかった。涙が出なかった。母さんがいなくなるということは、漠然としすぎていて上手《うま》く掴《つか》めなかった。私の視線に気づいた七生がかすかに眉《まゆ》を動かした。私が静かに口角を上げてみせると、七生が安心したように頷《うなず》いた。

母さんは初めから、がんだった。病院に運ばれた時には手遅れだった。母さんは私が思っていた以上に強い人間だった。半年近くの間、私にまったく悟らせなかったのだから。どうして、教えてくれなかったのだろう。私をそんなに弱い人間だと思っていたのだろうか。いや、違う。母さんが私に打ち明けなかったのは、あの頃の私に、母親の病気以外に受け入れなければならないものがあったからだ。

七生はきっと気づいていた。何の病気かは知らなかったにしても、こうなることは予測していた。だから、死に近づくにつれて、頻繁《ひんぱん》に母さんのところへ行っていたのだ。

なぜ葬式の後には食事の席が設けられるのだろう。あんなに泣き、悲しんでいたのに、みんな食事を囲んで盛り上がっている。久しぶりに会った親戚同士、近況報告に花が咲いていた。

私の今後は「もう、十八歳だしね」「七子ちゃんしっかりしているからね」などという曖昧《あいまい》な言葉で片付けられた。ほとんど連絡を取り合っていなかった父方の親戚に今更世話になるのも、ばあちゃんたちと暮らすために九州に行くのも嫌だ。母さんの兄は一緒に暮らそうと持ちかけてくれたが、「あと何ヶ月かで卒業だから学校を変わりたくない」と言うと、あっさりと引き下がってくれた。いくら親戚とはいえ、ここまで育った人間を引き取るのは煩《わずら》わしいに違いない。

もう聞き飽きた励ましの言葉に頷きながら、部屋を出た。食事が始まってから姿を消していた七生は二階へ上る階段の真ん中に座っていた。

「なに、食べないの？　あんな豪華なお弁当めったに食べられないよ」

私は七生と同じ段に腰掛けた。七生は少しだけ声を洩らして笑ってくれた。

「あんまり気にしないで。伯父さんたち、口で言ってるだけだから」

刑務所に入っている愛人の子どもである七生への雑言は、耳をふさいでいても聞こえた。

「わかってるよ」

「そっか。そうだよね」

「ねえ、ななちゃん、３Ｄの絵の本見たことある？」

じっと見ていると絵の中に隠されていた文字や絵が立体的に浮き出てくるというものだ。学校でもはやっていて、何度か見たことがある。

「あるけど。どうして突然？」

「おばさんのお見舞いに行ってた時、その本が病室に置いてあってよく二人で見てたんだ。立体的に見るのにはコツがあって、絵をじっと見ててもだめなんだ。絵の向こう側を見るつもりで見ないと。その絵を通り越して、その向こう側に焦点を合わせると隠れたものが浮かび上がってくるんだ」

いったい何を言いたいのだろうと思いながらも、頷いた。

「だんだん僕たちはコツを摑んできて、すんなりと3Dの絵を見られるようになった。すぐ絵を浮かび上がらせることができるようになってきた。おばさんがね、このテクニックは使えるわよって言ってた。しばらくこのコツを忘れちゃだめよって」

不可解な顔をしている私に七生が微笑《ほほえ》んだ。

「ななちゃんの伯父さんたちは、悲しいからだよ。だいたい憎むほど僕のことを知らない」

「うん」

七生はずっと遠くを見ながらそう言った。私は七生の隣で、部屋の向こう側で盛り上がっているみんなの声を聞いていた。

どんなことがあっても、日常というものはしっかりやってくる。私はちゃんと高校に復帰して、二学期の文化祭前の浮ついた空気の中に身を置いた。

級友たちのいたわりや励ましはそれなりに心に染《し》みた。言葉を選ぶことを知らない野沢は、「もしかして、里村ってみなしごになっちゃったの？」と驚いていたが、それでも彼なりにいろいろ気遣ってくれた。

しかし、私は元気だった。そして、周りに気遣われれば気遣われるほど、悲しみが襲ってこないことに戸惑いを感じていた。母さんの死は、確かにつらい。もう母さんと話すこともなく、母さんの顔を見ることもない。そう考えると、胸が痛んだが、自分の中で簡単に消却できる範囲の悲しみだった。母親の死というものがこんなに簡単に消化されていいものなのだろうか。母親の死は漠然としたまま、日毎《ひごと》に速度を上げて薄れていっていた。

「今の時間にノート写す？」

三時限目の古文は、自習になった。私が欠席している間に席替えがあって、隣の席は島津君になっていた。

「次、数学だけど、ずいぶん進んでいるから」

「ああ、ありがとう。そうさせてもらう」

私は島津君のノートを受け取った。整った字で書かれたノートはとても見やすく、すっきりとまとめられていた。

島津君は私たちより一つ年上だ。理由は知らないが、彼は去年一年間休学していた。高校生にとって、一年の開きは大きく、島津君とみんなの間にはちょっとした距離があった。といっても、それはどうにかしなくてはいけないような類《たぐ》いのものではなく、とても自然なものだった。

自習課題のプリントを早々に済ませて、みんな各々《おのおの》の問題集をやっている。受験が迫っているのだ。

「何読んでるの？」

島津君もプリントをやり終えたらしく、文庫本を広げていた。

「もうノート写したの？」

島津君は私の質問には答えずそう言った。

「まだだけど……」

三階の窓から入る冷たい陽の光が、島津君の顔に影を作っている。顔色の薄い余計なものが何もついていない顔だ。

「何？」

私の視線に気づいた島津君が、本を閉じてかすかに微笑んだ。

「島津君と口きいたの、初めてかもって思って」

「そうだね。里村さんおとなしいから」

「島津君に言われるとは」

私は笑ってしまった。確かに私は、積極的にいろんな子に話しかけるタイプではない。でも、何人かの親しい友達とは、それなりによく話す。島津君は誰に対しても、同じくらい無口だ。

「島津君って太宰治《だざいおさむ》が好きなの？」

「別に」

「それって太宰でしょ」

「そうだね。俺飽き性だから同じ作家の小説は、読まないんだけど、太宰治は二冊目。好きなのかもしれない」

「私は、『人間失格』しか読んだことないけど」

「そう。これも面白いよ」

島津君が見せてくれた表紙には「グッドバイ」とあった。太宰が死ぬ前に書いた未完成の作品らしい。

「ふうん。面白そうだね」

二人揃《そろ》って、会話が下手なのだろう。島津君との話はすぐにとぎれてしまう。でもそれほど気まずくはなかった。

島津君の数学のノートを写したと知ると、野沢は大喜びして「見せてくれ」と言ったが、中を見てがっくりきていた。

「これって、おまえちゃんと写したの？」

「何よそれ」

「あまりにも簡潔すぎるんだけど」

「島津君は余計なものは何一つ書かないみたいよ」

「なんだ、島津のノートさえあれば、今度の試験はばっちりだと思ったのに」

「賢い人は、書かなくてもわかるのよ」

「ちぇ」

野沢は声に出して舌打ちをした。そして、

「あいつってホモらしいよ」

と言った。

「ふうん」

別に島津君だったら、不思議じゃないと思った。今までいろんな女の子に告白されているようなのに、誰とも付き合っていないところをみると案外そうかもしれない。

「隣の席なんだし、事実を聞いてみてよ」

「聞いてどうすんのよ」

「ほんとにホモだったら、俺付き合おうかなあって。あいつかっこいいしさ」

隣の席になってみてわかったことだが、島津君は聞いたことにはちゃんと答えてくれる。言葉数が少なく、自分からは声を発しないだけだ。

「はー。また次英語だよ。なんだか英語って毎日ある気がしない？」

「気のせいでしょう」

「島津君ってなんでもできるからいいよね。体育でも英語でも物理でも……。苦手なものってないの？」

「鯖《さば》が食べられない」

「あ。私も嫌い。なんか初めて共通点を見つけた」

「うん。よかった」

島津君はいつも私の言葉なんて取るに足らないことのように静かに、でも丁寧に受け流す。「ホモなの？」と唐突に訊《き》いた時も、別段驚きもせず、少し笑って、「どちらも好きだよ。女か男かに決めてしまうと、人を好きになれる可能性が半分になってしまうから」と言った。次第に私は島津君と言葉を交わすことがとても好きになっていった。

母さんが死んでから、二ヶ月が経《た》とうとしていた。入院費を支払い、初七日を済ませ、お墓や仏壇を調え、ようやく親戚たちと元どおりの距離ができた。

ずっと会っていなかった父方の親戚にも、いつも厳しい指摘をするばあちゃんたちにも、「七子はしっかりしたねえ」「本当に強い子だ」と評された。実の母親の死んだ直後に黙々と行動できる自分に自分でも感心した。母親が昔から働いていたから、知らない間に生活能力が身についていたのだろうか。どこかで疲れを感じながらも、騒々しかった毎日がようやく落ち着いた。

秋の夜は深く、何にも屈しない静けさを持っている。

「眠れないの？」

「え？」

二時を過ぎて、まだテレビの前に座っている私に、二階から降りてきた七生が声をかけた。

「うーん。なんだかね。七生こそ早く寝なさいよ。小学生は九時消灯よ」

「知らなかった」

「さっき総理大臣が発表してた」

「うそだあ」

テレビは、どんなに退屈な時に見ても笑えない、安っぽいバラエティー番組を放送していた。

「ななちゃん寝ないと」

「わかってる」

別に感傷にふけって眠れないわけではないが、最近寝る時間はずっと遅くなっていた。

「ねえ、ななちゃんってば」

七生が私の肩をたたいた。

「わかったわかった。早く寝ないと、朝起きれなくって、七生、私を起こすの大変だもんね」

私はにやりと笑った。

「そうじゃないけど」

「そうじゃないけど、何？」

「そうじゃないよ。いくらでも起こしてあげるよ」

七生があまりにも献身的なことを言うから吹き出してしまった。

「サンキュー。あとしばらくしたら寝るよ。だから、七生はもう寝て」

私はさっぱり眠れそうもなかったがそう言った。七生は小さく「おやすみ」を言ってゆっくりとドアに向かって歩き始めたかと思うと、駆け足で私の真後ろに戻ってきた。

「そうだ！　トランプしよ」

「え？」

「いや？」

「いやってこともないけど、どうしたの？」

私は七生のほうを向いて座り直した。

「じゃあ、パズルする？　こないだ隣のおばちゃんにもらったジグソーパズルあったでしょ」

七生は私の質問に答えずに次の提案を始めた。

「だから、どうして今そんなことするのよ」

「じゃあ、しりとりってどう？　簡単だし、すぐできるよ」

「いやだ。あんな辛気くさいこと」

「じゃあじゃあ、手品見せてあげよっか」

七生の手品はもう何回も見ている。私は顔をしかめて首を振った。

「あー難しいねえ。そしたら、アイスクリーム作ろう。結構面白かったじゃん」

「今から？　絶対やだ。面倒くさすぎる」

「じゃあ、花火しようよ。夏休みに買ったの、まだ残ってたでしょ？」

どれだけ用意しているのだろう。七生は私に却下されると、すぐに次の案を出してくる。夜の気だるさがすっかり抜け、七生の調子はどんどん上がっていった。

「もう、どうしたのよ」

「どうしたのって……。あっ！　オセロは？　この間ななちゃんに負けたから、リベンジしないと」

「もう。七生ってば」

いつまでたってもこの会話は終わりそうにない。私は七生の頭をつっついた。

「もういい加減に寝ないとだめだって」

「えー」

七生が唇をとがらせた。

「えーって、もう二時過ぎてるでしょう」

「わかってるよ」

「だったら、早く寝なさいって」

「でも」

「いくらごねたって、こんな時間に遊ばないよ」

私がきっぱり断ると、七生は少しふてくされた。

「だって……」

「だって何よ」

「だって、絶対ななちゃん寝ないんだもん」

七生が言った。

「確かに。寝ないね」

私は正直に認めた。

「夜中なのに」

七生が言った。

「そうだね、夜中なのに」

「二時過ぎてるでしょ」

「うん、二時過ぎてるね」

私は七生の言葉を繰り返した。もともとそんなによく寝るほうではない。だから、心配には及ばないのに、七生が子どものやり方で気遣ってくれるのがくすぐったかった。

「じゃあ、……旅行行こう」

七生はとっておきのアイデアを思いついたかのように、にこりと笑って言った。

「へ？」

私は旅行という唐突な言葉に首を傾《かし》げた。

「だから、旅行に行こう。旅」

「旅行って、いつ？　どこに？」

「どこかは決めてないけど、今から、今から出発」

「行き先決めてないのに、今から旅行するの？　いきなりだねえ」

「いきなりじゃないよ。なんかよくわかんないけど、ずーっとななちゃんとどこか行きたいって思ってた気がする」

今まで七生がどこかに行きたいと言うことは一度もなかった。だいたい、私にものを頼むとか一緒に何かしようと言うことはめったにない。

「気のせいだね。それは」

「気のせいかなあ。でも、今、どこか行きたい」

自分で言っているうちにわくわくしてきたのだろう。七生の声は弾んでいる。

「何言ってるの。もう二時過ぎよ。今からじゃ、どこにも行けないでしょ。明日学校あるし」

「大丈夫だって。行こう、ななちゃん」

七生は私の手を取った。

「もう真夜中よ」

「いいの。行く」

私は七生に引っ張られるまま立ち上がって、ため息を一つついた。いくら言っても無駄らしい。どうせ眠れないのだから、少し散歩に行くのもいいだろう。

「わかった。ちょっと待ってよ。パジャマ着替えてくるから」

「いいよそのままで。僕もこのまま行くから。ね」

七生の青いチェックのパジャマは、私のと色違いだ。私はこの間スーパーの安売りで買った二人のパジャマを見比べて、「そうね」と笑った。

外はひっそりしていて、声をあげるとどこまでも響いた。おぼつかなく照らす半月と、街灯のおかげで自分の周りはなんとかぼんやりと見える。

「ねえ、どこに行くの？」

外に出たとたん、迷いもせずに歩き始めた七生に訊いた。

「とにかくまっすぐ。行きどまったら右、そん次左」

七生は夜の町を歩くことにわくわくしているらしく、早足になっている。子どもっていうのは、夜に対して、好奇心旺盛《おうせい》だ。

「これのどこが旅行なのよ」

私はそう言いながらも、七生に付いていった。

時々車とすれ違ったけど、それ以外は動くものとは出会わなかった。二人のつっかけの音だけが規則正しく響く。こんなに夜遅く歩いたことなどなかった。思い描いていたよりずっとずっと夜の町は静かだ。昼間の趣を全く残さない凪《な》いだ夜は私たちをどんどん進ませてくれる。住宅地に入ってしまったのか、音も光も薄れていった。

あてもなく歩くなんて、帰りの面倒くささを考えたらうんざりだけど、夜は私の中から煩《わずら》わしいという感情を消してくれた。目的地や帰る時間や進む距離とかいうものをいっさい考えずに動くのは心地よかった。そういう規制のなさは想像以上に私を解き放ってくれた。

七生も私もあまり口をきかなかった。夜のしんとした空気が声を出すことをためらわせたせいもあるし、静かな夜の気配を感じていたかった。何も話さずただ歩いているだけなのに、楽しかった。七生が楽しいのもわかったし、私が楽しいと思っているのも七生に伝わっていた。

周りの景色に見慣れたものがなくなった。見ず知らずの場所に来てしまっている。私たちは同時に速度をゆるめると顔を見合わせた。

「どの辺だろう」

「もう、駅は越えてるよね」

「さあ。通らなかったけど」

私たちは小声でつぶやいた。ささやき声で十分に伝わる。

「どれくらい進んじゃってるのかなあ」

三十分以上歩いただろうか。七生の言うとおりまっすぐ行って、右、左とやみくもに歩いてきたし、暗さでいつもの町と違って見えるから、どこに進んでいるのか、どこを通ってきたのかさっぱりわからなかった。早足で歩いたからずいぶん進んでいるのは確かだ。

「だいぶ歩いたよね」

「休憩なしだもん」

「疲れた？」

七生に訊かれて私は首を横に振った。

私の足は疲れを全然感じてなかった。まだまだ進めそうな気がした。どこまででも何時間でも歩けそうな気がした。夜は不思議だ。日頃使わない力や感情を動かしてくれる。

「あ」

七生が小さな声をあげた。

「何？」

私が尋ねると、七生がそっと顎《あご》で前を示した。野犬だ。大きな体をした犬が二匹、無気味にゆったりと目の前を動いている。

「うそ、やだ」

私の足は硬くなった。動物が苦手なのだ。苦手じゃなくたって、夜中にあんな野犬を見ればびびる。

「大丈夫。知らん顔して歩けば、何もしてこないよ」

「でも、こっち見てる」

犬は私たちに気づいたらしく、体をこちらのほうへ向けた。

「さあ、行こう」

七生はそう言ったけど、私は怖くて動けなかった。

「無理だよ」

「じゃ、引き返そう」

「もう遅いよ。こっちに来てる」

「どうする?」

七生は困った顔を私に向けた。私はとにかく首を振った。引き返しても進んでも、私たちが動けば犬が付いてくるのは明らかだ。

「ここにいても仕方ないから、行こう」

七生はそう言うと、私の手を取ってゆっくり歩き始めた。私たちは犬から少しでも離れるように道の端を通って前へ進んだ。犬は私たちをやりすごすと、同じゆっくりしたスピードで窺《うかが》うように付いてくる。

「付いてきてるよ」

「振り向いちゃだめだよ」

七生は犬に聞かれないように小さな声で言った。そして、前より強く私の手を握った。

「わかった」

私は素直に答えた。すぐ後ろに犬の気配を感じながら、七生の背中だけを見て歩いた。なんだか照れる。手を握られていることも、犬ごときにびびっていることも、夜のせいかいつもと調子の違う自分にも。

犬は怖い。鯖《さば》と鳩《はと》以上に苦手だ。でも、いつもの私ならこんな風にはびびらない。一人で何食わぬ顔して強気にやり過ごす。

母さんの口癖「七子が強いから助かる」。周りの私に対する評価は小学生の頃から変わらず「気丈夫」「強い」。確かにそうだ。無理しているわけでもなく、強がっているわけでもなく、私は強い。父さんが突然死んだ時も、三日くらい泣いて、何事もなかったようにけろりと元に戻った。学校生活の悩みのメインである友人関係にも、一切苦しまない。小さい頃から一人で夜を過ごすことも平気だったし、細かいことはあっさり流してきた。恐怖や不安を感じとる神経が鈍いし、それを一人で対処する能力にはたけている。

だけど、こういうのもいい。

七生は程よい速度でどんどん私を引っ張っていく。時々指先がかすかに動くのがくすぐったい。誰かに手を引かれて歩くなんて、どれくらいぶりだろう。もちろん、野沢と手をつなぐことはある。でも、それとは全然違う。こんな風に手を引かれることはない。大人になって意思を持ち始めると、手は引かれるものじゃなくつなぐものになっていた。

七生の手の中で、私は何もかもが温かくなっていくのを感じた。さっきまであんなに恐れを感じていたのに、すっかり気楽になっていた。たぶん、今、真後ろにライオンがいたとしても、七生に手を引かれていれば、大丈夫だと思える。「頼る」というのはこんなにも幸せな感覚を持つものだったのだろうか。何も自分で決めなくていい、ただ、手の引っ張られるほうに足を進めればいい。すべてを投げ出して無防備でいられる安心感。心の中で何かがすとんと落ちてしまうような心地よさ。私はすべてを七生の手にゆだねていた。ただ、私が心を任せている手は、私の手より少し小さい。

犬の気配も、私の恐怖心もいつの間にかすっかり遠のいていた。

「まだ？」

七生が言った。

「え？」

「犬、まだ来てる？」

「そんなのわかんない。だって七生、後ろ見ちゃだめって言ったじゃない」

私が言うと、七生は私の手を握ったまま振り返った。

「大丈夫みたい。あいつらのテリトリーから出たみたいだから、もう来ないよ」

私も七生と同じように後ろを振り返った。私たちの背後には、犬どころか、何一つ気配がなかった。七生の手を離して、大きく息をすると、私は突然笑いがこみ上げてきた。

「どうしたの？」

「なんだか犬ごときで、びびってたって思うとさ」

「夜だからだよ。夜になるとなんでもいつも以上に怖く感じちゃうから」

七生が私を慰めるように言った。

「ふふ。そうだね」

わけもなく、楽しくなってしまっていた。そう、七生の言うとおり、夜のせいで。

私の笑い声はなかなか収まらなかった。

「何がおかしいの？」

「わかんないけど、止まらないんだもん」

不可解な顔をしている七生の横で、私は声をあげて笑った。

何もない誰もいない夜の空間。もちろん、立ち並んでいる家々の中に人はいるのだろうけど、きっと今、私と七生だけが目を開けている。どこまで行っても私たち以外に目を覚ましている人はいないだろう。そんなことが、おかしくて、そして悲しかった。

「ななちゃん」

「何？」

「どうして泣いてるの？」

不思議なことに、笑い声が出なくなった私の体からは、涙がこぼれていた。笑っていた私は、一瞬にして泣き始めていた。

本当の涙は、時も場所も選ばず襲ってくる。どうして今、涙が出るのだろう。私の涙の勢いはどんどん加速した。

「ななちゃん」

七生は次々変わる私の感情に、おろおろしていた。その様子さえもおかしくて悲しくて、とても泣けた。

「ななちゃんってば」

どうしていいのかわからないのだろう。七生はただただ私の名前を呼んだ。

「ねえ、ななちゃん」

いい名前かどうかは別にして、私の名前は心地よい音を持っている。七生が呼ぶと、それが明確になる。静まり返った道の真ん中で、私の名前はびっくりするくらいすてきに響いた。

「今わかっちゃった」

私は涙の合間を縫って、声を出した。

「何が?」

七生が訊《き》いた。

「すごくわかっちゃったの」

ずっと不思議だった。いまいちわからなかった。いくら人がいいといっても、愛人の子どもをわざわざ引き取るだろうか。今まで何の関わりもなかった七生を、母さんは半ば強引に引き取った。男の子が欲しかったのよ。そんなの、まるで違う。身寄りのない七生がかわいそうだったから。まさか。七生はどこでだって生きていける。自分の死を予期していた母さんが七生を引き受けた理由は、ただひとつだ。

「ななちゃん。疲れちゃったの？」

「そうじゃないよ」

「もう帰ろうか？」

七生の手がそっと私の腕に触れた。

「七生は優しくしてくれるんだね」

私がそう言うと、少し間を置いてから七生はかすかに微笑《ほほえ》んだ。

「だって、ななちゃんは僕と血が繋《つな》がってるたった一人の人だもん」

「七生、自分のお母さんのこと忘れてるよ」

私は笑った。七生も少し笑った。

「ほんとだ。でも、お母さんが僕のそばにいてくれるのは、血が繋がっているからじゃないよ。一人じゃいられない人だから。寂しがりやなんだ、とても。だから、僕をそばに置きたがるだけだよ。恋人がいる時は、僕のことなんて忘れてるもん。……ななちゃんは、ちょっとだけだけど、血が繋がってるからでしょ？　僕と一緒にいてくれるのは」

そうなのだろうか。それはよくわからない。どうして七生と一緒にいるのか、一緒にいたいと思うのか、理由はわからない。でも、母さんが死んだ今、私にとって繋がりがあるのは七生だけだ。

誰とも繋がっていないのは寂しい。恋や愛や友情は、美しかったり強かったりするけれど、いつ切れたっておかしくない繋がりだ。母さんは私を一人にはしなかった。遠く離れていても、憎しみ合ってても、お互いの存在すら知らなかったとしても、私と七生は繋がっている。母さんは私に儚《はかな》さのない繋がりを残してくれた。

涙も笑いも出なくなった体で、空を見上げた。あれほど深く見えた夜空は、ほんのり白んできている。もうすぐ夜が明けるのだ。

「その後、家に戻ろうと思ったんだけど、実はただならぬ距離を歩いてきてたの。で、バスかタクシーに乗ろうかと思ったんだけど、二人ともまったくお金を持ってなかったから大変」

「歩いて帰ったの？」

島津君がいつものように静かに訊いた。

「そう。お揃《そろ》いの安物のパジャマ着て、ぐったりした体を引きずりながら歩いたわよ。

どんどん夜が明けていくじゃない？　人通りも出てきて、かなり恥ずかしかった。夜の力なしじゃ、パジャマで外にいるのも、三駅分歩くのもかなりきつい」

「で、遅刻してきたんだね」

「休もうって言ったのに、七生がうるさくて」

島津君は小さく笑った。

昨日の夜、七生と体験したことは島津君にしか話していない。野沢にも言ってない。野沢に、いつもの調子でお気楽な話に片付けられるのがもったいない気がした。たぶんもう誰にも言わないだろう。昨日の夜に得た感覚をすこしでも長く体の中に残しておきたかった。口に出すことで、記憶が薄れていくスピードを加速させたくなかった。

「島津君も何か話してよ」

「え？」

一人で意気揚々と話していたことが照れくさくなって、そう言った。

「いつも私だけが話してる。何か言いたいことないの？」

私は膨れてみせたが、本当は島津君に話を聞いてもらうのが好きだ。島津君の静かな応答で私の言葉がゆったり自分の元を離れていくのを感じるのは心地よい。

「だったら、……ひとつ言っていい？」

島津君は少し考えて、そう言った。私は島津君が自ら口火を切る貴重な瞬間を、黙って頷《うなず》いて待った。

「里村さんさあ、いつもしまづくんって呼ぶけど、本当は僕はしまづじゃなくて、しまつって言うんだ。……どっちでもいいことなんだけど」

そういえば、彼は四月当初の自己紹介の時、そう言っていた。その時私は島津君の夏を越す前の透けるような白い肌と、何も混じっていない声を聞いて、そのとおりだと思った。島津君の名前には濁音なんかいらない。「しまつ」がぴったりだと思っていた。なのに、すっかり忘れてしまっていた。でも、島津君の名前を正しく知っていた時より、今のほうが島津君のことをずっと知っている。

「知ってる」

私はそう言って笑った。

「知ってたんだ」

島津君も笑った。

島津君の肩越しに見える窓には、夏の名残も冬の兆《きざ》しも含まない本当の秋の空が広がっていた。

4

冬は突然やってきて、私を驚かせた。いつもなら、八百屋に大根や蕪《かぶ》などが並んで、日の暮れる時刻が少しずつ早まって、外を歩く人が足早になる。そういう兆候があちらこちらにあって、吸い込んだ空気の冷たさに鼻がつーんとなる。そうなれば冬だ。しかし今回は違っていた。肌寒い風は吹かずに唐突に風は肌を刺す冷たさになっていた。

「気分がよくなったら、おかゆお鍋《なべ》の中にあるから食べてね」

七生がランドセルを背負ったまま私の顔を覗《のぞ》き込んだ。

「うーん」

「何か食べないと、薬飲めないよ」

「うーん」

私は前触れのない冬の到来に付いていけずに、風邪を引いてしまっていた。

「僕もう行くけど……」

「いってらっしゃい」

私の乾いた喉《のど》はそう言うのがやっとだった。

「じゃあ、いってきます」

私はベッドの中から、潤《うる》んでぼんやりした目で七生の後ろ姿を見送った。もともと安物だったらしい七生のランドセルは、すっかりくたびれてしまっている。だいたい小学生がランドセルを使うのは低学年の間だけで、高学年になるとリュックや鞄《かばん》を使う。ランドセルなんて、重いだけで機能的に優れていないのだ。今六年生でランドセルを使っているのは七生一人だ。何か新しい鞄を買ってやろう。七生が小学校に行くのはもう三ヶ月くらいだけだけど、その分いかした鞄を買おう。学校中の誰よりもかっこいい鞄を。

そんなことを考えているうちに眠ってしまったらしく、次に目を開けると昼過ぎになっていた。

おなかは空いていなかったが、七生に言われたとおりちゃんとおかゆを食べた。七生の作ったおかゆはさらりとしていて、お米の甘さがほんのり出て、思っていたとおりおいしかった。七生は料理が上手《うま》い。特におかゆや卵焼きなどの単純な料理を作った時にそれがはっきりする。全然食欲はなかったのに、私はおかゆを全部平らげた。

模範的な患者のように、食事を済ませると、うがいをして、薬を飲んで再び温かい布団《ふとん》の中に潜りこんだ。普段健康な私は風邪ごときで完全に参ってしまう。ずきずき痛む頭とどんより重い体にこのまま死ぬんじゃないかと思いこんで、神様に今までの悪事を詫《わ》びたりする。普段はいつ死んでもいい、などと傲慢《ごうまん》に言い放っているくせに、健康になれるなら何でもしますって哀願してしまう。

痛い頭でぼやけた細切れの夢を繰り返しているうちに、薬が効いてきたのだろう、私は次第に深い眠りに吸い込まれていった。

閉じた瞼《まぶた》の向こうに、七生が静かに扉を開けて入ってくるのを感じた。七生がそっと私の額に手を当てた。七生のひんやりした手から、外の冷え切った空気が伝わってきた。

ゆっくり目を開けると、七生が笑った。

「熱下がったみたい」

「おかえりなさい」

病気の時、一人でいるのはやっぱりこたえる。七生が帰ってくるのを、随分長い間待っていた気がした。実際にはほとんどの時間寝ていたのだけど。

「ましになった？」

七生が訊いた。

「だいぶ。おかゆ食べたよ」

「薬は？」

「飲んだ」

七生は寝汗で額や頬に引っ付いた私の髪の毛を指で整えた。なんだか図画工作の時間にやるような動作だったので、少し笑った。

幸せな家庭で両親の愛情をたっぷり受けて育った人間は揺るがない温かさを持っていて、時折それを滲《にじ》み出させる。どうしようもない父親を持つ私はずっとそれを手に入れたくて仕方なかった。別にコンプレックスを抱いているわけじゃない。そうじゃない家庭で育った人間には、別のものがちゃんと備わっているのだから。だけど、あの紛れもない暢気《のんき》な温かさは私に「とても叶《かな》わないな」と思わせる。不思議なことに七生はその鷹揚《おうよう》な温《ぬく》もりをちゃんと持っていた。

「どうしたの？」

七生が首を傾《かし》げた。

「別に」

七生にそのことを告げようとしたが、やめにした。私がそう言えば、七生はきっと、

「ななちゃんのおかげだよ」みたいなことを言い出すだろう。複雑な家庭に育った子ども特有の器用な優しさを使って。

「もう少し寝る？　それともなんか食べる？」

「とてもじゃないけど、もう眠れない」

私が応《こた》えると、七生が笑った。

寝転がったまま、下から眺める七生の顔はいとおしかった。細く長い睫《まつげ》に覆《おお》われた瞳《ひとみ》や、言葉を吐き出す度に動く唇の角度が、何も言えないくらいいとおしかった。

病気になると健康ほど大切なものはないと思い知らされるのが常なのだが、今回は違っていた。ずっとこのままでもいい。そう思った。七生の作るおかゆを食べて、ちょっと心配そうに微笑みながら気遣ってくれる七生の質問に答える。それを繰り返していられたら、それでいいと思った。

それに、なぜか風邪を治すことと引き換えに、何かを失いそうな予感がした。漠然として、それでいて、確実に胸が騒ぐ嫌な予感。そういう予感はいつも当たる。

風邪で学校を休んでいる間、一度野沢がやってきた。なんと奮発してメロンを買ってきてくれた。私がメロンだと喜ぶと、

「なんだよ。全然元気じゃないか」

と野沢は笑った。

「そうよ。悪い」

「いや。よかったよかった」

「それより、受験勉強は？　はかどってんの？」

「ばっちり」

そう言いながら、野沢はメロンを切って手際《てぎわ》よく皿に盛った。受験間近の野沢は時間の使い方がとても上手くなっている。勉強の合間に適当に私の見舞いに来て、ゆっくりできない分メロンを持ってきた。

「おお、やっぱメロンは果物の王様だ」

野沢はお見舞いに持ってきたメロンを、私よりも先にほおばりながら言った。私はこの天真爛漫《らんまん》さにずっと惹《ひ》かれていた。根拠も理由もなく、目の前のものを順番に片付けていく野沢が好きだった。

「何？　食わないの」

「いや、食べるけど」

野沢にとって、メロンはメロンでしかない。私はスプーンを手にしたまま、メロンを平らげる野沢を眺めていた。

「食欲ない？」

「そんなことないよ」

私はそう言って、スプーンでメロンをすくった。そして、思った。今はメロンを全然欲しくないって。

「明日からは学校来れるんだろ？」

メロンをさっさと食べ終えた野沢が言った。

「行くよ。でも、三日も休むと学校行くの面倒くさいなあ」

私はスプーンに乗った黄緑の果肉を見つめながら言った。

「どうせ、みんな授業も聞かずに受験勉強ばっかりしてるから、里村も来るだけ来て、寝てればいいじゃん」

「なんかばかにされてる気がする」

私がそう言って膨れると、野沢は私の額にそっとキスをした。

「とにかく早く元気になってよ」

野沢以外にもう一人見舞いに来てくれた。といっても実際には会わなかったのだが。

郵便受けにノートと何枚かのプリントが入っていた。ノートは一冊だったが、主要五教科が全《すべ》てまとめられていた。プリントは私が欠席している間に配られたらしい受験対策用の問題だった。ノートを破ったものに、「体の調子はいかがですか？　そろそろ本格的に勉強を始めたほうがいいのでは」と書かれていた。大学には行かないって言ったはずなのに。たぶん島津君は私の言うことなんて軽く聞き流していたのだろう。

結局四日間も休んでしまい、風邪を引きずったままの体で学校に行くと、期末考査の前日だった。二学期の期末は、たいていの連中が受験勉強に夢中になっていて、学校の試験には見向きもしない。だから、平均点がどっと下がる。私のような、進学しない生徒にとって成績を上げるチャンスである。

島津君が作ってくれたノートはへたに授業に出席するよりもためになった。風邪でなまった体が、水分を吸い込むように、面白いくらいどんどん知識を吸収していくのがわかった。しばらく勉強というものと遠ざかっていたせいだろうか。野沢は「よく寝たからじゃないの」って言っていたが、そういうものなのだろうか。島津君は「里村さんは自分で気づいてないけど、勉強家なんだよ」と言っていたが、そうなのだろうか。

とにかく私は、試験期間中、食事する時間すら惜しむくらい、勉強に没頭した。年号や単語を頭に詰め、公式を応用できるように練習し、論説文を暗記するくらい読んだ。

体がそうすることを欲していた。なぜかはわからない。とにかく頭になんでもいいから、詰め込んでおきたかった。頭の中に余白を作りたくなかった。七生はそんな私を、少し心配そうに何も言わずに見ていた。

私の予感は予想以上に当たった。

風邪が完全に治って二日目の日曜日の朝、私はすっかり途方に暮れてしまった。

「どうして？　ずっと黙っているつもりだったの？」

私が静かに尋ねると、七生が小さく首を振った。

七生の母親が三日後に出所するらしい。七生がランドセルのほかに大きな鞄を用意していたことで、私はそれを初めて知った。

「本当はもっと早く行くつもりだったたし、言うつもりだったんだけど、ななちゃん風邪引いてたし……」

七生が言い訳めいた口調で言った。

「風邪引いてたって、関係ないじゃん。早く教えてくれればよかったのに」

私はそう言ったけど、これ以上早く知りたくなんかなかった。七生が出ていく当日に知ったことをありがたいとすら思った。いなくなることを知りながら、七生と過ごすのはきっとすごく苦しい。だけど、出ていくことを告げなかった七生を責めることでしか、やり場のない思いを片付ける術《すべ》が見つからなかった。

「そういうことって、わかった時点で言うべきでしょ？」

「ごめんね」

七生が言った。

「そんな大事なこと、突然言われたら困るじゃない」

七生はもう一度「ごめんね」と言った。それは絶望的な響きを持っていた。七生が今日、いなくなることを明確にするだけの言葉だった。

「謝ってほしいわけじゃないわ」

私がそう言うと、七生はごめんという代わりに、困ったように私の顔を見つめた。

「さっさと用意したら」

私は投げ捨てるように言うと、自分の部屋に引きこもった。

七生の母親が戻ってきて、七生と一緒に暮らせるようになるのだ。七生にとって当然のことだ。きっと幸せなことだ。それはちゃんとわかっていたが、喜ばしい気持ちはどこにも湧《わ》かなかった。私の頭は、七生がいなくなるという認識しかできなかった。

一人になるのは平気だったが、七生がいなくなるのは怖かった。七生がすぐそばにいることに慣れきってしまっていた。七生の声で始まる朝。七生の言葉が溢《あふ》れる食卓。くだらないことで笑い合う夜。七生を見送って、七生に出迎えられる毎日。私の日常にはしっかり七生が染《し》みついている。二人きりで過ごした時間が長すぎた。二人きりで乗り切ったものが多すぎた。

机の下に隠した包みが目に入った。昨日、選び抜いて買ったリュックだ。いつも決断の早い私がうんと悩んで迷って買った。色も形も大きさも七生にぴったりのを探し当てた。包みを広げた時の七生の様子が浮かんで、ずっとわくわくしていた。早く渡したいのを我慢して、クリスマスにプレゼントするつもりだった。七生が私にケーキを渡せなかったように、私も七生にこのリュックを渡せなくなるのだろうか。

七生が台所を片付けている音が聞こえる。いつもより念入りに掃除をしているようだ。

横になったまま、窓の外を眺めた。冬の重い空がどんどん時間を流していく。

どうあがいたって、受け止めなくてはいけないものがたくさんある。どうもがいたって、変わらない現実がいくつもある。だけど、それを和らげる方法はいくつかあるはずだ。

私が下に降りていくと、七生が何事もなかったように微笑《ほほえ》んだ。私も微笑んで応えようとしたが、うまく顔が動かなかった。その代わり、私は手にしたはさみを開いたり閉じたりしてカシャカシャさせてみせた。

「はさみ、どうしたの？」

七生が訊《き》いた。

「散髪してあげる」

「散髪？」

私の唐突な申し出に七生はきょとんとした。

「そう。髪切ってあげる」

「どうして？」

「そんな伸び放題の頭で帰ったら、ちゃんと面倒みてなかったと思われるじゃん」

七生の柔らかい髪は少し伸びて、耳が隠れるくらいになっていた。

「大丈夫だよ」

「大丈夫じゃないって。ほら、お風呂場《ふろば》で切ろう」

　私は七生の背中を押しながら風呂場に向かった。

「いいよ」

「だめよ。遠慮しないで」

「別に遠慮してるわけじゃないけど」

「だったら、いいじゃん。散髪屋に行く手間が省けるでしょ」

「だって」

　七生は風呂場に近づくと足を止めた。

「何よ」

「だって、ななちゃん不器用だもん。きっと学校で笑われちゃう」

「失礼ね」

　私は、今日初めて少し笑った。七生も笑った。

「家事は苦手だけど、こういうのは得意なのよ」

　私は適当なことを言った。

「ほんとに？」

「大丈夫。任せて」

私がそう言うと、七生は「まあいいや」と潔《いさぎよ》く風呂場の鏡の前に座った。

「ふふ。さあ、やるか」

私は七生の後ろに立って、髪を梳《す》いてやった。七生の細い髪にすんなりと櫛《くし》が通る。

「どういう感じになさいますか？」

私がすまして言うと、七生がけたけた笑った。

「かっこよくしてください」

「かしこまりました」

自分で散髪すると言っておきながら、七生の髪にはさみを入れるのはどきどきした。自分の前髪を切ることはしょっちゅうあるけど、人の髪を切ったことなどない。

少しずつはさみを入れると、七生の髪がふわりと床に舞う。柔らかい髪は、落下するのに時間がかかった。

初めこそ戸惑ったが、次第にはさみが髪を切り落としていく感覚が心地よくなってきた。なにより、鏡の中の七生がなんの不安も見せずに私に髪を切られているのが、いとおしかった。

「まだ切るの？」

右側の髪にはさみを入れた私に七生が訊いた。

「だって、ほら」

私はそう言って、左右の髪を比較してみせた。左側が明らかに短い。

「こうやってどんどん短くなっていくのよね」

私が無責任に言い放つと、七生も、

「まあ、いいか。髪はすぐ伸びるし」

と寛容に言った。

「まあ……。こんなものかな」

もう切りようがなくなって、私ははさみを置いた。

「かっこよくなった?」

七生が訊いた。

「うん。かなりこざっぱりしたよ」

私はそう言ったけど、こんな髪型、七生じゃないと似合わない。切りすぎて眉毛《まゆげ》がはっきり見えてしまうぎざぎざの前髪、左右のバランスの悪い横の髪。後ろは……。見えないからいいとしておこう。

「ありがと」

突拍子もない髪型にされたのに七生はそう言って、微笑んだ。

「どういたしまして。さてと、次は、七生が切る番だよ」

私は、洋服についた髪の毛の切れ端をパタパタ払っている七生に向かってそう言った。

「え?」

「私の髪も切って」

「ななちゃんも散髪するの?」

「そうよ。七生だけずるいじゃん」

私はそう言って、七生にはさみを持たせると、さっきまで七生が座っていた椅子《いす》に腰掛けた。一年近く美容院に行っておらず、私の髪は肩を少し越えるくらいまで無造作に伸びている。

「えー。無理だよ。切れないよ」

おかしな髪型の七生が言った。

「大丈夫だって、七生器用だもん」

「でも、散髪はしたことないもん」

「なんでも経験よ。したことがないことこそやらなくちゃ。それが子どもの義務なんだって」

「そんなあ」

「いいから早く」

はさみを握りながらも、七生は一向に私の髪にはさみを入れようとしない。

「本当に、僕が切るの？」

「そうだってば。早く切って」

「緊張する。変になったらどうしよう」

「いいって。おかしくなったら、七生も坊主《ぼうず》にしてやるから」

私がそう言うと、七生は「今の髪型だったら、坊主のほうがましかもしれない」と言って笑った。

「野沢君と別れたの？」

七生は私の真後ろに立つと、そう訊いた。

「どうして？」

「女の人が髪の毛切るのって、そういう時じゃないの？」

「まさか。今どき失恋して髪の毛切る人ってあんまりいないよ。髪を切ると気分転換にはなるだろうけどさ」

「じゃあ、僕を忘れるため？」

「あら、うぬぼれてる」

私がおどけて言って、二人で笑った。私たちは、少しのチャンスでも逃さないようにするかのように、小さなことに声をあげて笑った。

「いったいどうして、七生のこと忘れなくちゃいけないの？」

「じゃあ、最後の思い出？」

「思い出なんか必要ないじゃない。私たち恋人でもないんだし、七生しばらくは死ぬ予定ないでしょ？　もちろん忘れる必要だってない。私たちは血が繋《つな》がっているんだよ。少しだけど。何もしなくたって、ちゃんと繋がっているんだから」

私は鏡越しだけど、ちゃんと七生の顔を見て言った。

「野沢と上手《うま》くいっていないのは確かだけど、彼は、私に髪を切らせるほど重要じゃないわ。……ただ、七生がここにいたっていう感覚を、ちょっとの間、リアルに残しておきたいだけ」

七生はちょっとはにかんだようにくすっと笑って、

「どんな感じになさいますか？」

と、さっきの私の口ぶりを真似《まね》た。

「かわいくしてくれれば、それでいいわ」

「えー。それは難しい」

私たちはまた笑った。

さすがに七生は器用で、あれだけためらっていたのに、いったん始めると、迷うことなく私の髪を切り落としていった。

鏡の中で、私は少しずつ幼くなっていく。

ショートカットの女の子が好きだと言う野沢に反抗して、ずっと髪を伸ばしていたけど、昔は、短かった。そう、ちょうどこんな具合に。

「随分短くしてくれたのね」

私が言うと七生は肩をすくめた。

「でも、かわいい」

耳が隠れる長さで切り揃《そろ》えたおかっぱ頭を、私は本当に気に入ってしまった。

「ななちゃん、いろいろありがとう」

髪を切り終えた七生が言った。私が七生のほうを振り向くと、七生はもう一度丁寧に言った。

「ありがとう」

風呂場に七生の声が響いた。

もう、お別れなのだ。

冬の夕暮れは本当に早い。

私たちは短い影を作りながら、駅へと並んで歩いた。

七生は私がプレゼントしたリュックを背負っていた。もったいないからと中には何も入れず、その分両手に大きな袋を持って歩いた。リュックは予想以上に七生に似合って、私を誇らしい気持ちにさせた。

初めは駅までの道は途方もなく遠くに感じて、私を安心させた。だけど、どうがんばっても、いつもと同じように十分ほど歩いたら駅が見えてきた。それが悲しくて、私は涙をこらえることができなかった。

「元どおりになるだけだよ」。七生は言ったけど、それは違う。元どおりになるものなど、この世には一つもない。

私の中には、七生と過ごした時間が克明に刻み込まれている。誕生日に腐ったケーキを食べたり、夜中に何キロも歩いたり、七生の気遣いにくすぐったくなったり、邪気のないしぐさに思わず笑ってしまったり。はたして、忘れられるのだろうか。記憶はこの先薄れていくだろうけど、その時感じた感覚はずっと私の中に根をおろしていく。七生の存在しか知らなかった一年前の私には、戻れるわけがない。それは、とても幸せなことで、とても切ないことだ。

ホームで路線図を確認した。意外と七生は私のすぐそばで生活をしていた。今までそれを知らなかったことが不思議なくらいだ。

「山田川だったら、三十分もあったら行けるよね」
「結構便利なところでしょ」
「近くなんだね」
「そうだね」
「やっぱり寒いねえ」
「真冬だもん」

話したいことや、かけたい言葉がたくさんあるような気がするのに、何も出てこなかった。どうでもいい言葉ばかりが口をついた。もうすぐ離れていく私たちはありきたりな会話しかできなかった。言葉は通りすぎていくだけで、私たちはお互いの顔を見ることなく、ただ、並んで同じ方向を眺めていた。

「また遊びにおいでよ。これからは、お互いの家もわかってることだし」

私は言った。

「うん」

七生は頷《うなず》いた。

「いつでも会えるよね」

「そうだよね」

だけど、きっと私たちは二度と会わないだろう。母親が事件を起こしたり、入院したり、外からの働きかけがないときっと会えない。どうしてなのかわからないけど、七生が私の家を訪ねてくる姿も、私が七生の家に向かう姿も想像できないからそうなのだ。

「七生?」

電車を待つ七生が振り向いた。何度も見ている表情だ。私が名前を呼ぶと、少し首を傾《かし》げて顔を向ける。いつもいつもそうだ。

だめだ。何よりも大切だと思えた。たまらなくいとしかった。

私は七生の頬にそっと手をあてた。夏にはちゃんと小麦色になったのに、今はまた白くて細やかな肌になっている。頬も目も鼻も、肌の柔らかさも温かさも、全部七生そのものだった。

睡魔に襲われて、眠りの中に足を踏み入れてしまう時の感覚と同じだった。

私はそっと唇を七生の唇に合わせた。冷たかった七生の唇が私と同じ温度になっていく。それは、とても似ていて、くすぐったかった。全然違っていて、胸が苦しかった。

「さよなら」

七生が言った。

「じゃあね」

私が言った。

未来もこの次もない。だけど、私たちにはわずかな記憶と確かな繋がりがある。

あとがき

昨年の梅雨のある日、私は無性にハンバーグが食べたくなった。我慢できずに、仕事中に「ハンバーグが食べたい」と連呼していたら、先輩の女性が家に招待してくれた。今はお子さんも家を出られて、ご主人と二人暮らしをされているという。私は家に招かれるのをためらった。親しくない人と食事をすることは、私のもっとも苦手とする行為だからだ。

しかし、先輩の家は「違和感」というものを一切持たない空間だった。初めて入る家なのに、どの部屋にも自然に入っていけた。ご主人は見ず知らずの私に一切戸惑わなかった。私という人物について何も聞こうともせず、自分について語ろうともせず、一瞬にして私を受け入れてしまった。私は初めこそびっくりしたが、知らず知らずに、この家の物に、人に、空気になじんでしまった。私たち三人は並んでハンバーグを食べた。たらふく食べて、飲んで、話した。

その日から、私はたびたびその先輩の家に行っては夕飯を共にした。私の座る位置はいつの間にか決まっていて、誰がどの食器を使うかもわかってきた。いつ行っても、私がそこにいることに何の違和感もなく、すべてが私を受け入れてくれた。

天気のいい日は庭でバーベキューをし、寒い日には鍋《なべ》を囲んだ。おなかがいっぱいで動けなくなって三人で寝転がって話をしたり、太るといけないと食後にみんなで思い出したように腹筋をしたりもした。突然蟹《かに》が食べたいと思い立ち、三人で蟹を求めて、スーパーを何軒もはしごしたこともあった。ちょっと酔っぱらって、昔の歌を繰り返し何回も合唱したり、夜中の道を懐中電灯を片手に自転車で走ったりもした。いつもたくさんの料理がテーブルに並び、時間も翌日の予定も何も気にせず、私たちはしゃべって食べて飲んだ。

私には父親がいない。それはたいして重要なことではないし、私は女ばかりで構成され、類《たぐ》いまれな生活力を持つ自分の家族を気に入っている。けれど、「家族」というものに憧《あこが》れがあった。手に入らないとわかっているからこそ、焦《こ》がれていた。先輩の家で過ごす三人の時間には、私の触れたかったものがあった。本当の家族にはないきれいな優しさと、他人の間には流れない緩やかな時間があった。ちょうど良い温度を持って、私たち三人は繋《つな》がっていた。

そこら中にいろんな関係が転がっていて、誰かと繫がる機会が度々ある。それは幸せなことだ。

心地よい関係に身を置くことも、それを描き出すこともとても楽しい。そういうものを少しでも作り出せたらなと思います。

二〇〇二年十月

瀬尾まいこ

解説　異質な時間が緩やかに流れていく。

あさのあつこ

瀬尾さんの作品を読むたびに、どうにも言葉にし難い感情に襲われる。いや、感情というはっきりしたものではなく、はっきりしたものではなく……なんだろう。うーん。難しい。

既成の言葉ではぴたりと表現できない何かが、わたしの心を揺さぶるのだ。手荒く力任せに揺さぶるのではなく、もっと密《ひそ》やかに、柔らかく揺する。母親が赤ん坊の眠るゆりかごを動かすように、そっと。

「卵の緒」という小説を読んでいる間、読み終わったとき、読み始める前と比べて、わたしを取り巻く世界がほんの僅《わず》かだけれど変化している。わたしは、それを感じることはできる。うまく説明できないのだけれど。

わたしはゆったりとゆっくりと「卵の緒」によって揺さぶられる。その蕩揺《とうよう》がわたしの内に僅かのズレを作る。隙間《すきま》ができるのだ。その隙間から、わたしの知らなかったわたしが覗く。わたしは、見も知らぬわたしと目を見合わせ、戸惑う。もう一人のわたしの後ろには、ほんの僅かだけ変化した世界が広がっている。そんな感じです。

僕は捨て子だ。子どもはみんなそういうことを言いたがるものらしいけれど、僕の場合は本当にそうだから深刻なのだ。

「卵の緒」は、少年のこんな独白で始まる。この少年、育生《いくお》の日々を作者は追っていくのだが、ほとんど何もおこらない。事件らしい事件も、劇的な展開もない。魔法も、殺人事件も、スポーツの試合も、ない。幾多の苦難を乗り越え結ばれる恋人たちもいない（あっ、こんなこと言うと君子《きみこ》さんに怒られるかな）。

小学生の少年の一日、一日が淡々と過ぎていくだけなのだ。なのに揺さぶられる。心が疼《うず》いて、その疼きは、ずくずくと意地悪い痛みではなく、疼くことで、あなたの心はここにあるよと教えてくれるような疼きなのだ。

優しく、温かく、鋭く、痛い。

人と人とが繋《つな》がっていく。結びついていく。解《ほど》けていく。別れていく。そんな、人であるがゆえの関係をこんなに穏やかに、痛く書き上げられるものなのだ。それを知ったうえで、もう一度、あなたとあなたではない誰かとの関係を見つめてごらんよ。

耳のそこでそんな声が響いたりする。

今、家族の問題が喧《かまびす》しい。青少年の健全な育成のためには家庭の再生と役目が不可欠だそうだ。その家庭とは、逞《たくま》しい父と優しい母がいて、我が子にしっかりと愛情を注ぎ、しっかりと躾《しつけ》をする、そんな場所のことらしい（お偉い方々の見識によれば）。

この頑《かたく》なさ、枠組みの強固さ、息苦しさはどうだろう。家庭を機械の部品よろしく、型通りに寸分の狂いもなく大量生産しようとしている……のではないか。わたしには、どうにもそのようにしか感じられず、気持ちが悪くてしょうがないのだ。

「卵の緒」はその対極にある。

ここでの人の結びつき方、家族のありかたは、たった一つのものなのだ。育生とか君子さんとか朝ちゃんとか、こんな人たちだから創《つく》りあげられた、というか、自然にこうなってしまったものなのだ。他のどこにもないものなのだ。

模範にもならないし、真似《まね》もできない。こうあるべき理想像もない。他者から押し付けられた枠組みもない。そんなもの、端《はな》から鮮やかに蹴飛《けと》ばしている。それは、もう見事なほどに。だから、あるのは「好きだ」という気持ちだけ。ほんとそれだけ。育生の母親、君子さんはしょっちゅう、何気なく、でも真剣に「好きだ」を伝えている。それは、もう見事なほどに。

「母さんは、誰よりも育生が好き。それはそれはすごい勢いで、あなたを愛してるの。今までもこれからもずっと変わらずによ。ねえ。他に何がいる？　それで十分でしょ？」

「想像して。たった十八の女の子が一目見た他人の子どもが欲しくて大学辞めて、死ぬのをわかっている男の人と結婚するのよ。そういう無謀なことができるのは尋常じゃなく愛しているからよ。あなたをね。これからもこの気持ちは変わらないわ」

こんなストレートな愛の言葉を子どもに伝えられる母親って最高じゃないですか。君子さんの前に出ると、健全育成とか家庭の役割なんて陳腐《ちんぷ》な魂のこもらない言葉はしなしなと萎《しお》れてしまうみたいだ。萎れてしまえばいい。陳腐な魂のこもらない言葉をことごとく萎れさせてしまう力が、この本にはある。

家族といったって、人と人との結びつきの形、その名前にすぎない。だとしたら、いろんな家族が、いろんな結びつき方があったっていいはずだ。そうだよね、逞しい父と優しい母と素直で元気な子どもたちだけで形成されるのが家族じゃないよね。

そう気がつく。気がつくと力がぬける。

『卵の緒』だけではないけれど、すてきな本というものは（なんだか偉そう&生意気ないい方で、すいません）、どのような意味においても、価値を押し付けない。強要しない。これを信じろとか、これが正義だなんて、大声で語らない。ただ、静かに沁《し》みてくる。沁みてきて、強張《こわば》っていた心を解《ほぐ》してくれる。力をぬく手助けをしてくれる。そうすると首が回りだし、自分を囲む世界が見えてきたりするのだ。

自分が頑なにこうだと信じてきた、あるいは信じさせられてきた世界を、新たな視線で眺めることになるのだ。

子どもを愛さねばならないと思い込んでいませんか。

優しい母にならねばと思い込んでいませんか。

親なんだから当たり前とか、子どもなんだから当然とか思い込んでいませんか。

自分で自分に枷《かせ》をつけて、息苦しくはありませんか。

「卵の緒」からわたしに向けて、穏やかな問いかけが流れてくる。そう、すてきな本の定義をもう一つ、付け加えるなら（重ね重ね、偉そう&生意気で、ごめんなさい）、独自の言葉をもっていることだ。

この本にしかない独特の言葉を聞くことのできた本読み人は幸せである。今回、この本を読んで、わたしは至福の時をえた。

今までわたしが持っていた時間とは異質の緩やかな時が流れ、独特の旋律を伴う言葉を聞くことができた。

見事な一冊だと思う。しみじみと思う。すてきだ。

最後に一言だけ。

この「卵の緒」にも「7's blood」にも、再三再四出てくるのが食事風景。物を食べる場面。それがまた見事なんです。出てくる料理（別に高級食材を使った○○料理とか世界の珍味とかではありません）が、もう美味《おい》しそうで、美味しそうで、読みながら生唾《なまつば》を何度、飲み下したことだろう。

食事の場面を描きながら、料理そのものではなく、人間そのものを丁重に描いていく作者の手腕には、ただ、ただ脱帽するしかない。

朝ちゃんが、初めて育生の家でハンバーグを食べるところなんて、わたしはもうちょっとで、朝ちゃんに惚《ほ》れそうになった。

容姿や性格を説明した箇所って少ないのに、ハンバーグを食べている朝ちゃんからは、その人柄も顔つきもちゃんと、浮かび上がってくるのだ。

これは、瀬尾まいこのデビュー作だとか。後の経緯を知っているからさもありなんと頷《うなず》くけれど、この異質さ、この独特の世界、このごく普通のひとたちの普通でない姿、それを淡く描いていく手腕。

恐るべし。という一言が浮かんできた。

今回、文庫という形でより多くの人々の目に触れ、手に取られることは嬉《うれ》しい。この恐るべき静謐《せいひつ》な世界をどうぞ、堪能《たんのう》してください。


（二〇〇七年五月、作家）

この作品は平成十四年十一月マガジンハウスより刊行された。

卵《たまご》の緒《お》

新潮文庫　せ - 12 - 2

平成十九年七月一日発行
令和三年十月二十五日二十刷

著者　瀬《せ》尾《お》まいこ
発行者　佐藤隆信
発行所　株式会社新潮社
郵便番号　一六二－八七一一
東京都新宿区矢来町七一
電話　編集部(〇三)三二六六－五四四〇
　　　読者係(〇三)三二六六－五一一一
http://www.shinchosha.co.jp
価格はカバーに表示してあります。
乱丁・落丁本は、ご面倒ですが小社読者係宛ご送付ください。送料小社負担にてお取替えいたします。

印刷・三晃印刷株式会社　製本・株式会社植木製本所

ISBN978-4-10-129772-9 C0193